The Cave

The Cave of Fire

A Story in Simplified Chinese and Pinyin,
1500 Word Vocabulary Level

Book 14 of the *Journey to the West* series

Written by Jeff Pepper
Chinese Translation by Xiao Hui Wang

Based on chapters 40 through 42 of the original
14th century Chinese novel 西游记
(*Journey to the West*) by Wu Chen'en

This is a work of fiction. Names, characters, organizations, places, events, locales, and incidents are either the products of the author's imagination or used in a fictitious manner. Any resemblance to actual persons, living or dead, or actual events is purely coincidental.

Published in the United States by Imagin8 Press LLC, Verona, Pennsylvania, US. For information, contact us via email at info@imagin8press.com, or visit www.imagin8press.com.

Our books may be purchased directly in quantity at a reduced price, contact us for details.

Written by Jeff Pepper
Chinese translation by Xiao Hui Wang
Cover design by Katelyn Pepper and Jeff Pepper
Book design by Jeff Pepper
Artwork by Next Mars Media, Luoyang, China
Audiobook narration by Junyou Chen

Based on the original 14th century Chinese novel by Wu Chen'en, and the unabridged translation by Anthony C. Yu

ISBN: 978-1952601484

Version 02

ACKNOWLEDGMENTS

We are deeply indebted to the late Anthony C. Yu for his incredible four-volume translation, *The Journey to the West* (1983, revised 2012, University of Chicago Press).

Many thanks to the team at Next Mars Media for their terrific illustrations, and Junyou Chen for narrating the audiobook.

AUDIOBOOK

A complete Chinese language audio version of this book is available free of charge. To access it, go to YouTube.com and search for the Imagin8 Press channel. There you will find free audiobooks for this and all the other books in this series.

You can also visit our website, www.imagin8press.com, to find a direct link to the YouTube audiobook, as well as information about our other books.

PREFACE

Here's a summary of the events of the first thirteen books in the Journey to the West *series. The numbers in brackets indicate in which book in the series the events occur.*

Thousands of years ago, in a magical version of ancient China, a small stone monkey is born on Flower Fruit Mountain. Hatched from a stone egg, he spends his early years playing with other monkeys. They follow a stream to its source and discover a secret room behind a waterfall. This becomes their home, and the stone monkey becomes their king. After several years the stone monkey begins to worry about the impermanence of life. One of his companions tells him that certain great sages are exempt from the wheel of life and death. The monkey goes in search of these great sages, meets one and studies with him, and receives the name Sun Wukong. He develops remarkable magical powers, and when he returns to Flower Fruit Mountain he uses these powers to save his troop of monkeys from a ravenous monster. *[Book 1]*

With his powers and his confidence increasing, Sun Wukong manages to offend the underwater Dragon King, the Dragon King's mother, all ten Kings of the Underworld, and the great Jade Emperor himself. Finally, goaded by a couple of troublemaking demons, he goes too far, calling himself the Great Sage Equal to Heaven and sets events in motion that cause him some serious trouble. *[Book 2]*

Trying to keep Sun Wukong out of trouble, the Jade Emperor gives him a job in heaven taking care of his Garden of Immortal Peaches, but the monkey cannot stop himself from eating all the peaches. He impersonates a great Immortal and crashes a party in Heaven, stealing the guests' food and drink and barely escaping to his loyal troop of monkeys back on Earth. In the end he battles an entire army of Immortals and men, and discovers that even calling himself the Great Sage Equal to Heaven does not make him equal to everyone in Heaven. As punishment, the Buddha himself imprisons him under a mountain. *[Book 3]*

Five hundred years later, the Buddha decides it is time to bring his wisdom to China, and he needs someone to lead the journey. A young couple undergo a terrible ordeal around the time of the birth of their child Xuanzang. The boy grows up as an orphan but at age eighteen he learns his true identity, avenges the death of his father and is reunited with his mother. Xuanzang will later fulfill the Buddha's wish and lead the journey to the west. *[Book 4]*

Another storyline starts innocently enough, with two good friends chatting as they walk home after eating and drinking at a local inn. One of the men, a fisherman, tells his friend about a fortuneteller who advises him on where to find fish. This seemingly harmless conversation between two minor characters triggers a series of events that eventually cost the life of a supposedly immortal being, and cause the great Tang Emperor himself to be dragged down to the underworld. He is released by the Ten Kings of the Underworld, but is trapped in hell and only escapes with the help of a deceased courtier. *[Book 5]*

Barely making it back to the land of the living, the Emperor selects the young monk Xuanzang to undertake the journey, after being strongly influenced by the great bodhisattva Guanyin. The young monk sets out on his journey. After many difficulties his path crosses that of Sun Wukong, and the monk releases him from his prison under a mountain. Sun Wukong becomes the monk's first disciple. *[Book 6]*

As their journey gets underway, they encounter a mysterious river-dwelling dragon, then run into serious trouble while staying in the temple of a 270 year old abbot. Their troubles deepen when they meet the abbot's friend, a terrifying black bear monster, and Sun Wukong must defend his master. *[Book 7]*

The monk, now called Tangseng, acquires two more disciples. The first is the pig-man Zhu Bajie, the embodiment of stupidity, laziness, lust and greed. In his previous life, Zhu was the Marshal of the Heavenly Reeds, responsible for the Jade Emperor's entire navy and 80,000 sailors. Unable to control his appetites, he got drunk at a festival and attempted to seduce the Goddess of the Moon. The Jade Emperor banished him to earth, but as he plunged from heaven to earth he ended up in the womb of a sow and was reborn as a man-eating pig monster. He was married to a farmer's daughter, but fights with Sun Wukong and ends up joining becoming the monk's second disciple. *[Book 8]*

Sha Wujing was once the Curtain Raising Captain but was banished from heaven by the Yellow Emperor for breaking an extremely valuable cup during a drunken visit to the Peach Festival. The travelers meet Sha and he joins them as Tangseng's third and final disciple. The band of pilgrims arrive at a beautiful home seeking a simple vegetarian meal and a place to stay for the night. What they encounter instead is a lovely and wealthy widow and her three even more lovely daughters. This meeting is, of course, much more than it appears to be, and it turns into a test of commitment and virtue for all of the pilgrims, especially for the lazy and lustful pig-man Zhu Bajie. *[Book 9]*

Heaven continues to put more obstacles in their path. They arrive at a secluded mountain monastery which turns out to be the home of a powerful master Zhenyuan and an ancient and magical ginseng tree. As usual, the travelers' search for a nice hot meal and a place to sleep quickly turns into a disaster. Zhenyuan has gone away for a few days and has left his two youngest disciples in charge. They welcome the travelers, but soon there are misunderstandings, arguments, battles in the sky, and before long the travelers are facing a powerful and extremely angry adversary, as well as mysterious magic fruits and a large frying pan full of hot oil. *[Book 10]*

Next, the monk Tangseng and his band of disciples come

upon a strange pagoda in a mountain forest. Inside they discover the fearsome Yellow Robed Monster who is living a quiet life with his wife and their two children. Unfortunately the monster has a bad habit of ambushing and eating travelers. The travelers find themselves drawn into a story of timeless love and complex lies as they battle for survival against the monster and his allies. *[Book 11]*

The travelers arrive at Level Top Mountain and encounter their most powerful adversaries yet: Great King Golden Horn and his younger brother Great King Silver Horn. These two monsters, assisted by their elderly mother and hundreds of well-armed demons, attempt to capture and liquefy Sun Wukong, and eat the Tang monk and his other disciples. Led by Sun Wukong, the travelers desperately battle their foes through a combination of trickery, deception and magic, and barely survive the encounter. *[Book 12]*

Resuming their journey, the monk and his disciples stop to rest at a mountain monastery. That night Tangseng is visited in a dream by someone claiming to be the ghost of a murdered king. The ghost claims that the king sitting on the throne is really an evil demon. Is he telling the truth or is he actually a demon in disguise? Sun Wukong, offers to go to the king's palace and sort things out with his iron rod. But things do not go as planned. *[Book 13]*

Eventually they manage to leave the kingdom and resume their journey…

The Cave of Fire

火洞

Huǒ Dòng

Tángsēng hé tā de sān gè túdì líkāi le Hēi Gōngjī Wángguó, jìxù tāmen de lǚtú. Tāmen xiǎng de dōu shì fófǎ, tāmen de mùbiāo shì yuǎn zài Yìndù de Léi Yīn shān. Dōngtiān dàolái le, kōngqì yǒudiǎn lěng, tāmen kěyǐ tīng dào fēng qīng qīng chuīguò lǜsè de zhú shùlín.

Líkāi Hēi Gōngjī Wángguó liǎng gè xīngqí hòu, tāmen lái dào le yízuò gāoshān. Tángsēng shuō: "Xiǎoxīn, wǒ pà yǒu wéixiǎn de shēngwù huò yāoguài zhù zài zhèlǐ." Yìtiáo xiǎolù bǎ tāmen dài shàng le shān. Tāmen tīng dào sēnlín lǐ yǒu dòngwù, dàn kàn bújiàn tāmen.

Tāmen jìxù yánzhe xiǎolù páshān. Tūrán, tāmen kàn dào qiánmiàn de shānshàng chūxiàn yì duǒ shēn hóngsè de yún. Zài tāmen kàn de shíhòu, nà duǒ yún biàn chéng le hěn liàng de hóngsè huǒqiú. Sūn Wùkōng bǎ Tángsēng cóng mǎshàng lā xiàlái, shuō: "Xiǎoxīn, shī

火洞

唐僧和他的三个徒弟离开了黑公鸡王国，继续他们的旅途。他们想的都是佛法，他们的目标[1]是远在印度的雷音山。冬天到来了，空气有点冷，他们可以听到风轻轻吹过绿色的竹[2]树林。

离开黑公鸡王国两个星期后，他们来到了一座高山。唐僧说："小心，我怕有危险的生物或妖怪住在这里。"一条小路把他们带上了山。他们听到森林里有动物，但看不见它们。

他们继续沿着小路爬山。突然，他们看到前面的山上出现一朵深红色的云。在他们看的时候，那朵云变成了很亮的红色火球。孙悟空把唐僧从马上拉下来，说："小心，师

---

[1] 目标　mùbiāo – goal
[2] 竹　zhú – bamboo

fù, yāoguài láile!" Sān gè túdì bǎ tāmen de shīfu wéi zài zhōngjiān, názhe tāmen de wǔqì. Hóu wáng Sūn Wùkōng názhe tā de Jīn Gū Bàng, zhū rén Zhū Wùnéng názhe tā de bàzi, ānjìng qiángdà de Shā Wùjìng názhe tā de zhàng. Tāmen zài děng nàge yāoguài zǒu jìn.

Zài hóngsè de huǒqiú lǐ zhēn de shì yǒu yígè yāoguài. Tā de míngzì jiào Hóng Hái'ér, tā zhù zài shānlǐ. Jǐ nián qián, tā tīng dào rénmen shuō qǐ Tángsēng zhèng xiàng xī qù Yìndù. Tā tīngshuō rènhé chīguò Tángsēng ròu de rén dōuhuì chángshēng bùlǎo. Suǒyǐ, dāng Hóng Hái'ér kàn dào zhège héshàng dàolái shí, tā zhīdào tā xiǎng shā sǐ ránhòu chī le zhège héshàng.

Yāoguài xiǎng: "Héshàng kàn qǐlái hěn hǎo chī, dànshì nà sān gè túdì kàn qǐlái hěn wéixiǎn. Wǒ bùxiǎng hé tāmen suǒyǒu rén dǎ." Tā yòng tā de qiángdà mólì, biàn le tā de yàngzi, ràng tā kàn qǐlái xiàng yígè qī suì zuǒyòu de xiǎo nánhái. Tā yòng

父，妖怪来了！”三个徒弟把他们的师父围[3]在中间，拿着他们的武器。猴王孙悟空拿着他的金箍棒，猪人猪悟能拿着他的耙子，安静强大的沙悟净拿着他的杖。他们在等那个妖怪走近。

在红色的火球里真的是有一个妖怪。他的名字叫红孩儿，他住在山里。几年前，他听到人们说起唐僧正向西去印度。他听说任何吃过唐僧肉的人都会长生不老。所以，当红孩儿看到这个和尚到来时，他知道他想杀死然后吃了这个和尚。

妖怪想：“和尚看起来很好吃，但是那三个徒弟看起来很危险。我不想和他们所有人打。”他用他的强大魔力，变了他的样子，让他看起来像一个七岁左右的小男孩。他用

---

[3] 围 wéi – to encircle, to surround

shéng zi bǎ tā zìjǐ bǎng qǐlái, dào diào zài shù shàng. Ránhòu tā kāishǐ dà hǎn: "Jiù jiù wǒ! Jiù jiù wǒ!"

Dà túdì Sūn Wùkōng kàn dào hóngyún bújiàn le . "Kěyǐ jìxù." Tā duì qítā rén shuō. "Wǒ juédé hóngyún zhōng yǒu yígè yāoguài, dàn wǒ méiyǒu zài kàn dào tā le . Tā kěnéng zhǐshì lùguò."

Zhū xiàozhe shuō: "Gēge, wǒ bù zhīdào nàge yāoguài shìbúshì zhǐshì lùguò!"

"Dāngrán. Kěnéng móguǐ guówáng zhèngzài guò jiérì, tā xiǎng yāoqǐng zhège dìfāng de suǒyǒu yāoguài lái. Suǒyǐ, tā dāngrán huì fāchū yāoqǐng xìn. Nàxiē yāoguài méiyǒu xiǎng qù shānghài xiàng wǒmen zhèyàng de rén, tāmen zhǐshì zài qù cānjiā jiérì de lùshàng jīngguò."

Zhū zàicì xiào le qǐlái, dàn méiyǒu huídá. Tāmen zài xiǎo lù shàng jìxù zǒuzhe. Bùjiǔ, tāmen tīng dào nánhái kūzhe hǎn jiù

绳子把他自己绑起来，倒[4]吊在树上。然后他开始大喊：“救救我！救救我！”

大徒弟孙悟空看到红云不见了。“可以继续。”他对其他人说。“我觉得红云中有一个妖怪，但我没有再看到他了。他可能只是路过。”

猪笑着说：“哥哥，我不知道那个妖怪是不是只是路过！”

“当然。可能魔鬼国王正在过节日，他想邀请[5]这个地方的所有妖怪来。所以，他当然会发出邀请信。那些妖怪没有想去伤害像我们这样的人，他们只是在去参加节日的路上经过。”

猪再次笑了起来，但没有回答。他们在小路上继续走着。不久，他们听到男孩哭着喊救

---

[4] 倒 dào – upside down
[5] 邀请 yāoqǐng – to invite

rén. Sūn Wùkōng zhīdào tā de shīfu xiǎng tíng xiàlái qù bāngzhù. Tā shuō: "Shīfu, wǒmen zài yígè wéixiǎn de dìfāng. Wǒmen bù yìng gāi tíng xiàlái. Guānxīn nǐ zìjǐ de shì."

Tángsēng xiǎng tíng xiàlái, dàn tā tóngyì jìxù zǒulù. Dànshì hǎn shēng hái zài jìxù. Zuìhòu, Tángsēng shuō: "Tīng tīng nàge nánhái de kū shēng. Rúguǒ nà shì móguǐ huò yāoguài, bú huì yǒu huíshēng de. Wǒ zhīdào wǒ tīng dào le huíshēng. Ràng wǒmen tíng xiàlái bāngzhù tā."

"Shīfu," Sūn Wùkōng shuō, "qǐng fàngxià nǐ de réncí, zhídào women guò le zhè zuò shān. Nǐ zhīdào rènhé shēngwù dōu kěyǐ chéngwéi è shén. Tāmen jiào nǐ. Rúguǒ nǐ huídá, nàme nà shén jiù bǎ nǐ de línghún ná zǒu!"

Tāmen jìxù zǒuzhe, lái dào le kěyǐ kànjiàn xiǎo nánhái dào diào zài shù shàng de dìfāng. Tángsēng shēngqì le. Tā duì Sūn Wùkōng dà hǎn: "Nǐ zhège zhǎo máfan de húsūn. Nǐ gāngcái jiù xiǎng xià

人。孙悟空知道他的师父想停下来去帮助。他说："师父，我们在一个危险的地方。我们不应该停下来。关心你自己的事。"

唐僧想停下来，但他同意继续走路。但是喊声还在继续。最后，唐僧说："听听那个男孩的哭声。如果那是魔鬼或妖怪，不会有回声[6]的。我知道我听到了回声。让我们停下来帮助他。"

"师父，"孙悟空说，"请放下你的仁慈[7]，直到我们过了这座山。你知道任何生物都可以成为恶神。他们叫你。如果你回答，那么那神就把你的灵魂拿走！"

他们继续走着，来到了可以看见小男孩倒吊在树上的地方。唐僧生气了。他对孙悟空大喊："你这个找麻烦的猢狲。你刚才就想吓[8]

---

[6] 回声 huíshēng – echo
[7] 仁慈 réncí – kindness
[8] 吓 xià – to frighten

wǒ! Kàn kàn nàge kělián de nánhái. Tā xūyào wǒmen de bāngzhù!" Sūn Wùkōng méiyǒu huídá, yīnwèi tā hàipà Tángsēng huì niàn jǐn tóu dài yǔ, gěi tā dài lái jí dà de tòngkǔ.

Tángsēng duì nánhái shuō: "Nǐ cóng nǎlǐ lái, háizi? Nǐ wèishénme huì diào zài zhè shù shàng?"

Móguǐ kāishǐ kū le. Tā shuō: "Ò, shīfu, qǐng bāngzhù wǒ. Wǒ de jiārén zhù zài zhè zuò shān xī biān de yígè cūnzhuāng lǐ. Wǒ yéye de míngzì jiào hóng. Tā fēicháng yǒu qián, suǒyǐ rénmen jiào tā Hóng Bǎi Wàn. Tā sǐ hòu, cáichǎn chuán gěi le wǒ bàba. Wǒ bàba shì yígè hǎorén, dàn tā shì yígè kělián de shēngyì rén. Tā sǔnshī le jīhū suǒyǒu de qián, suǒyǐ rénmen jiào tā Hóng Qiān. Tā qiàn yìxiē huàirén de qián. Huàirén lái le, tāmen shāo le wǒmen de fángzi, shā le wǒ bàba. Tāmen bǎ wǒ māma dài zǒu shí, tā qǐng tāmen búyào shā sǐ wǒ, suǒyǐ tāmen bǎ wǒ bǎng qǐlái, bǎ wǒ diào zài zhè kē shù shàng.

我！看看那个可怜的男孩。他需要我们的帮助！”孙悟空没有回答，因为他害怕唐僧会念紧头带语，给他带来极大的痛苦。

唐僧对男孩说：“你从哪里来，孩子？你为什么会吊在这树上？”

魔鬼开始哭了。他说：“哦，师父，请帮助我。我的家人住在这座山西边的一个村庄里。我爷爷的名字叫红。他非常有钱，所以人们叫他红百万。他死后，财产传给了我爸爸。我爸爸是一个好人，但他是一个可怜的生意[9]人。他损失[10]了几乎所有的钱，所以人们叫他红千。他欠[11]一些坏人的钱。坏人来了，他们烧了我们的房子，杀了我爸爸。他们把我妈妈带走时，她请他们不要杀死我，所以他们把我绑起来，把我吊在这棵树上。

---

[9] 生意 shēngyì – business
[10] 损失 sǔnshī – to lose
[11] 欠 qiàn – to owe

Qǐng jiù jiù wǒ, nàyàng wǒ jiù kěyǐ huí jiā. Wǒ huì zuò rènhé nǐ yào wǒ zuò de shìqing, lái bàodá nǐ de réncí."

Tángsēng kànbùchū zhège nánhái qíshí shì yígè móguǐ. Tā jiào Zhū kǎn le shéngzi. Dànshì Sūn Wùkōng dà hǎn: "Nǐ zhè yāoguài! Wǒ rènshi nǐ. Búyào yǐwéi nǐ kěyǐ piàn wǒ. Rúguǒ nǐ de gùshì shì zhēn de, nàme nǐ jiù méiyǒu jiā, yě méiyǒu jiārén. Dànshì nǐ shuō wǒmen yīnggāi bǎ nǐ sòng huí gěi nǐ de jiārén. Nǐ de gùshì lián bù qǐlái."

Yāoguài tīng dào zhège hòu hàipà jí le, yīnwèi tā rènshi dào Sūn Wùkōng kěyǐ kàn dào tā zhēn de yàngzi, yě kěyǐ kànchuān tā de huǎnghuà. Dànshì tā duì Tángsēng shuō: "Shīfu, wǒ fùmǔ zhēn de shì búzài le. Dànshì wǒ hái yǒu qítā de qīnqi. Wǒ māma de jiārén zhù zài zhè zuò shān de nánbiān, wǒ yǒu jǐ gè qīnqi, tāmen zhù zài bùtóng de cūnzhuāng lǐ. Qǐng jiù wǒ. Wǒ huì gàosù tāmen nǐ de réncí, tāmen huì hěn gāoxìng lái bàodá

请救救我，那样我就可以回家。我会做任何你要我做的事情，来报答[12]你的仁慈。”

唐僧看不出这个男孩其实是一个魔鬼。他叫猪砍了绳子。但是孙悟空大喊：“你这妖怪！我认识你。不要以为你可以骗我。如果你的故事是真的，那么你就没有家，也没有家人。但是你说我们应该把你送回给你的家人。你的故事连不起来。”

妖怪听到这个后害怕极了，因为他认识到孙悟空可以看到他真的样子，也可以看穿他的谎话。但是他对唐僧说：“师父，我父母真的是不在了。但是我还有其他的亲戚。我妈妈的家人住在这座山的南边，我有几个亲戚，他们住在不同的村庄里。请救我。我会告诉他们你的仁慈，他们会很高兴来报答

[12] 报答 bàodá – to repay

nǐ."

Zhū bǎ Sūn Wùkōng tuī dào yìbiān, shuō: "Gēge, nǐ kànbùchū zhè zhǐshì gè háizi ma? Wǒmen yīnggāi bāngzhù tā." Zhū kǎn le shéngzi, fàng le xiǎo yāoguài. Tángsēng ràng Sūn Wùkōng bēizhe tā.

Dāng Sūn Wùkōng zhuā qǐ zhège xiǎo yāoguài shí, tā fāxiàn nàge nánhái zhǐyǒu jǐ jīn zhòng. Tā duì yāoguài shuō: "Nǐ yì fēnzhōng dōu piàn bùliǎo wǒ. Wǒ zhīdào nǐ shì shuí. Dànshì gàosù wǒ, xiǎo yāoguài, nǐ wèishénme zhème qīng?"

"Wǒ xiǎoshíhòu méiyǒu zúgòu de nǎi." Yāoguài huídá.

Sūn Wùkōng xiàozhe shuō: "Hǎo ba, wǒ bēi nǐ. Dànshì rúguǒ xūyào niào niào, gàosù wǒ."

Tāmen jìng jìng de zǒu le yíduàn shíjiān, ránhòu Sūn Wùkōng kāishǐ qīng qīng de duì zìjǐ shuōhuà, tā shuō: "Pá zhè zuò shān yǐjīng

你。”

猪把孙悟空推到一边，说：“哥哥，你看不出这只是个孩子吗？我们应该帮助他。”猪砍了绳子，放了小妖怪。唐僧让孙悟空背[13]着他。

当孙悟空抓起这个小妖怪时，他发现那个男孩只有几斤[14]重。他对妖怪说：“你一分钟都骗不了我。我知道你是谁。但是告诉我，小妖怪，你为什么这么轻？”

“我小时候没有足够[15]的奶[16]。”妖怪回答。

孙悟空笑着说：“好吧，我背你。但是如果需要尿尿，告诉我。”

他们静静地走了一段时间，然后孙悟空开始轻轻地对自己说话，他说：“爬这座山已经

---

[13] 背　bēi – to carry on back
[14] 斤　jīn – a cattie, a measure of weight equal to about a pound.
[15] 足够　zúgòu – enough
[16] 奶　nǎi – milk

fēicháng kùnnan le, dàn shīfu hái yào wǒ bēizhe zhège yāoguài. Wèishénme? Wǒ xiāngxìn zhè yāoguài huì gěi wǒmen dài lái máfan. Wǒ xiànzài jiù yīnggāi shā le tā."

Yāoguài tīng dào le Sūn Wùkōng de xiǎngfǎ. Tā shēn xī le sì kǒu qì, chuī dào hóuzi de bèi shàng. Sūn Wùkōng mǎshàng juédé tā bēizhe yìqiān jīn zhòng de dōngxi. Ránhòu, yāoguài yòng tā de mófǎ líkāi le tā de shēntǐ, shàng le kōngzhōng.

Sūn Wùkōng gǎndào tā de bèi shàng hěn zhòng. Tā shēngqì le. Tā zhuā zhù yāoguài, bǎ tā zhòngzhòng de rēng zài dìshàng, shā sǐ tā. Dànshì dāngrán tā zhǐshì shā sǐ le yāoguài zào de shītǐ. Yāoguài de jīngshén hái huózhe.

Ránhòu, yāoguài zào le yì chǎng dà bàofēngyǔ. Tiānkōng biàn dé xiàng yè nàyàng hēi. Fēng bǎ shùmù cóng dìshàng bá qǐ. Tā bān dòng le dàshí. Xiǎo xī biàn chéng le héliú, héliú biàn chéng le dàhǎi. Sān gè túdì dǎo zài dìshàng, hùzhe tóu. Dāng Hóng Hái'ér

非常困难了，但师父还要我背着这个妖怪。为什么？我相信这妖怪会给我们带来麻烦。我现在就应该杀了他。”

妖怪听到了孙悟空的想法。他深吸了四口气，吹到猴子的背[17]上。孙悟空马上觉得他背着一千斤重的东西。然后，妖怪用他的魔法离开了他的身体，上了空中。

孙悟空感到他的背上很重。他生气了。他抓住妖怪，把他重重地扔在地上，杀死他。但是当然他只是杀死了妖怪造的尸体。妖怪的精神还活着。

然后，妖怪造了一场大暴风雨[18]。天空变得像夜那样黑。风把树木从地上拔起。它搬动了大石。小溪变成了河流，河流变成了大海。三个徒弟倒在地上，护着头。当红孩儿

---

[17] 背 bèi – back
[18] 暴风雨 bàofēngyǔ – storm

kàn dào nà shí, tā xiàlái, zhuā zhù le Tángsēng, ránhòu fēi zǒu le.

Dāng fēng tíng shí, sān gè túdì zhàn le qǐlái, kàn le sìzhōu. Tāmen de xínglǐ zài dìshàng. Tángsēng de báimǎ hái zài nàlǐ, dànshì nà héshàng bújiàn le. "Shīfu zài nǎlǐ?" Shā Wùjìng wèn. Méiyǒu rén zhīdào. Sān gè túdì zhǐshì zhàn zài nà'er, bù zhīdào gāi zěnme bàn.

Sūn Wùkōng zuìhòu shuō: "Xiōngdìmen, wǒmen bìxū yìqǐ qù zuò. Wǒmen bìxū ná qǐ xínglǐ, pá shàng zhè zuò shān, jiù wǒmen de shīfu."

Tāmen pá le qīshí lǐ lù, zǒuguò héliú hé shēn shāngǔ. Tāmen méiyǒu kàn dào rènhé de dòngwù huò niǎo er. Sūn Wùkōng kāishǐ dānxīn. Tā tiào dào kōngzhōng, dà hǎn: "Biàn!" Tā xiànzài yǒu sāntóuliùbì. Tā yòng sāngēn Jīn Gū Bàng kāishǐ dǎ huài sìzhōu de shùmù hé shítou. Zhū duì Shā shuō: "Wǒ de xiōngdì,

看到那时，他下来，抓住了唐僧，然后飞走了。

当风停时，三个徒弟站了起来，看了四周。他们的行李在地上。唐僧的白马还在那里，但是那和尚不见了。“师父在哪里？”沙悟净问。没有人知道。三个徒弟只是站在那儿，不知道该怎么办。

孙悟空最后说：“兄弟们，我们必须一起去做。我们必须拿起行李，爬上这座山，救我们的师父。”

他们爬了七十里路，走过河流和深山谷[19]。他们没有看到任何的动物或鸟儿。孙悟空开始担心。他跳到空中，大喊：“变！”他现在有三头六臂。他用三根金箍棒开始打坏四周的树木和石头。猪对沙说：“我的兄弟，

[19] 山谷　shāngǔ – valley

zhè hěn bù hǎo. Sūn Wùkōng fāfēng le."

Bùjiǔ, yí dà qún shén lái le. Tāmen chuānzhe jiù de zāng yīfu, kàn shàngqù hěn è. Tāmen zhōngjiān de yí wèi duì Sūn Wùkōng shuō: "Dà shèng, shānshén hé tǔdì shén lái zhèlǐ jiàn nǐ!"

Sūn Wùkōng kànzhe tāmen shuō: "Wèishénme nǐmen yǒu zhème duō rén?"

"Dà shèng," tā huídá shuō: "Zhèlǐ shì Liùbǎi Lǐ Shān. Suǒyǐ, shān de zhè yìbiān cóng xià dào shàng shì sānbǎi lǐ. Měi shí lǐ jiù yǒu yí wèi tǔdì shén hé yí wèi shānshén. Suǒyǐ, wǒmen yígòng shì sānshí wèi tǔdì shén hé sānshí wèi shānshén. Zuótiān wǒmen tīng shuō nǐ yào lái, dàn wǒmen xūyào shíjiān lái dào yìqǐ. Qǐng yuánliàng wǒmen lái wǎn le."

"Hǎo de, wǒ yuánliàng nǐmen," Sūn Wùkōng huídá. "Gàosù wǒ, zhè zuò shānshàng yǒu duōshǎo yāoguài?"

"A, zhǐyǒu yígè. Tā gěi wǒmen zàochéng le hěn dà de máfan. Wǒmen yǐjīng shāo le suǒyǒu de xiāng hé zhǐqián, yòng wánle

这很不好。孙悟空发疯了。”

不久，一大群神来了。他们穿着旧的脏衣服，看上去很饿。他们中间的一位对孙悟空说：“大圣，山神和土地神来这里见你！”

孙悟空看着他们说：“为什么你们有这么多人？”

“大圣，”他回答说：“这里是六百里山。所以，山的这一边从下到上是三百里。每十里就有一位土地神和一位山神。所以，我们一共是三十位土地神和三十位山神。昨天我们听说你要来，但我们需要时间来到一起。请原谅我们来晚了。”

“好的，我原谅你们，”孙悟空回答。“告诉我，这座山上有多少妖怪？”

“啊，只有一个。他给我们造成了很大的麻烦。我们已经烧了所有的香和纸钱，用完了

wǒmen suǒyǒu de shíwù."

"Zhège yāoguài zhù zài nǎlǐ?"

"Tā zhù zài Huǒ Dòng lǐ. Tā yǒu fēicháng qiángdà de mólì. Tā chángcháng huì zhuā zhù wǒmen zhōng de yígè, ràng wǒmen chéngwéi tā de púrén. Tā de xiǎo móguǐ lái dào wǒmen zhèlǐ, yào qǔ bǎohù de qián."

"Dànshì nǐ shì shén! Nǐ méiyǒu qián."

"Shì de, wǒmen méiyǒu qián. Suǒyǐ wǒmen bùnéng gěi xiǎo móguǐ qián. Érshì gěi tāmen lù ròu hé qítā lǐwù. Dànshì yǒu de shíhòu tāmen bù xǐhuān wǒmen de lǐwù. Ránhòu tāmen dǎ huài wǒmen de sìmiào, ná le wǒmen de hǎo yīfu. Wǒmen bùnéng hépíng ānjìng de shēnghuó. Wǒmen xiǎng qǐng dà shèng bāng wǒmen bǎ zhège yāoguài jiějué le, jiù jiù shēnghuó zài zhè zuò shānshàng de shēngwù!"

我们所有的食物[20]。”

“这个妖怪住在哪里？”

“他住在火洞里。他有非常强大的魔力。他常常会抓住我们中的一个，让我们成为他的仆人。他的小魔鬼来到我们这里，要取保护的钱。”

“但是你是神！你没有钱。”

“是的，我们没有钱。所以我们不能给小魔鬼钱。而是给他们鹿肉和其他礼物。但是有的时候他们不喜欢我们的礼物。然后他们打坏我们的寺庙，拿了我们的好衣服。我们不能和平安静地生活。我们想请大圣帮我们把这个妖怪解决了，救救生活在这座山上的生物！”

---

[20] The mountain gods and local spirits had to give meat and other goods to the little demons. They had to use all their resources to give these gifts, leaving no food or clothes for themselves.

"Zhège yāoguài jiào shénme míngzì?"

"Tā shì Niú Mówáng de érzi. Tā zhēn de hěn qiángdà. Tā xuéxí le sānbǎi nián, zhídào tā xuéhuì le zěnme zào chū Sānmèi zhēn huǒ. Tā de bàba jiào tā lái zhèlǐ bǎohù zhè zuò shān. Tā bèi jiàozuò Shèng Yīng Dàwáng, dàn zài tā de bèihòu wǒmen dōu yòng tā de xiǎo míng Hóng Hái'ér jiào tā.

Sūn Wùkōng tīng dào zhè huà hòu hěn gāoxìng. Tā gǎnxiè tǔdì shén hé shānshén, ràng tāmen huí jiā. Ránhòu tā huí dào Zhū hé Shā nàlǐ, shuō: "Hǎo xiāoxi, wǒ de xiōngdìmen. Zhège yāoguài shì lǎo hóuzi de qīnqi!"

Zhū xiào dào: "Gēge, nà bù kěnéng shì zhēn de. Nǐ zài Àolái de Huāguǒ Shān shàng zhǎng dà. Lí zhè lǐ yǒu yí wàn lǐ hé liǎng gè dàhǎi!"

"Zhège yāoguài jiào Hóng Hái'ér, tā de bàba shì Niú Mówáng. Wǔbǎi nián qián, dāng wǒ zài tiāngōng zhǎo máfan de shíhòu, wǒ xíng

"这个妖怪叫什么名字？"

"他是牛魔王的儿子。他真的很强大。他学习了三百年，直到他学会了怎么造出三昧[21]真火。他的爸爸叫他来这里保护这座山。他被叫做圣婴大王，但在他的背后我们都用他的小名红孩儿叫他。

孙悟空听到这话后很高兴。他感谢土地神和山神，让他们回家。然后他回到猪和沙那里，说："好消息[22]，我的兄弟们。这个妖怪是老猴子的亲戚！"

猪笑道："哥哥，那不可能是真的。你在奥莱的花果山上长大。离这里有一万里和两个大海！"

"这个妖怪叫红孩儿，他的爸爸是牛魔王。五百年前，当我在天宫找麻烦的时候，我行

[21] Samadhi, a state of intense concentration achieved through meditation.
[22] 消息 xiāoxi – news

zǒu zài shìjiè shàng, qù zhǎo zhège shìjiè shàng de dà yīngxióng. Wǒ zhǎodào le tāmen zhōng de liù gè, wǒmen chéng le xiàng yìjiā rén huò yígè liánméng nàyàng. Niú Mówáng shì liù gè zhōng zuì qiáng dà de. Tā shì wǒ de xiōngdì, suǒyǐ wǒ shì zhège Hóng Hái'ér de lǎo jiùjiu. Tā zěnme huì shānghài tā de jiùjiu? Wǒmen qù kànkan tā."

Shā dà xiào, shuōdao: "Gēge, nǐ zhīdào gǔrén zěnme shuō: 'Sān nián yuǎnlí wǒjiā mén, nǐ bù zài shì wǒ de qīnqi le .' Nǐ yǐjīng yǒu wǔbǎi duō nián méiyǒu jiànguò Niú Mówáng le. Nǐmen zài jiérì lǐ méiyǒu tóng hè yì bēi jiǔ huò sòng lǐwù. Wèishénme Hóng Hái'ér huì rènwéi nǐ shì tā de jiùjiu?"

"Hǎo ba, gǔrén yě shuō, 'Rúguǒ yè zǐ néng liú dào dàhǎi, rénmen lái lái qù qù zěnme huì bú yùjiàn ne?' Shì de, yǐjīng hěnjiǔ le , tā kěnéng bù huì gěi wǒmen dài lái yígè dà yànhuì. Dàn zuìshǎo, tā yīnggāi bǎ shīfu huán gěi wǒ

走在世界上，去找这个世界上的大英雄[23]。我找到了他们中的六个，我们成了像一家人或一个联盟[24]那样。牛魔王是六个中最强大的。他是我的兄弟，所以我是这个红孩儿的老舅舅。他怎么会伤害他的舅舅？我们去看看他。”

沙大笑，说道：“哥哥，你知道古人怎么说：‘三年远离我家门，你不再是我的亲戚了。’你已经有五百多年没有见过牛魔王了。你们在节日里没有同喝一杯酒或送礼物。为什么红孩儿会认为你是他的舅舅？”

“好吧，古人也说，‘如果叶子能流到大海，人们来来去去怎么会不遇见呢？’是的，已经很久了，他可能不会给我们带来一个大宴会。但最少，他应该把师父还给我

---

[23] 英雄 yīngxióng – hero
[24] 联盟 liánméng – alliance

men."

Tāmen rìyè xíngzǒu, zǒu le yìbǎi lǐ. Zhōngyú, tāmen lái dào le yípiàn sōngshù lín, nà lǐ yǒu yì gǔ lěng liú. Xīliú de lìng yìbiān shì xuányá. Xuányá dǐ shì yígè yǒu yí shàn hěn zhòng shímén de dà dòng. Sūn Wùkōng ràng Shā liú xiàlái, kànzhe mǎ hé xínglǐ, tā hé Zhū qiánwǎng shāndòng zhǎo Tángsēng.

Dāng tāmen lái dào Huǒ Dòng shí, tāmen kàn dào shí jǐ gè xiǎo móguǐ zhàn zài shímén qián. Móguǐmen dōu názhe jiàn. Sūn Wùkōng duì tāmen hǎn dào: "Kuài, qù gàosù nǐmen de zhǔrén, bǎ Tángsēng huán gěi wǒmen. Rúguǒ nǐ shuō bàn gè 'bù' zì, wǒmen huì huǐhuài nǐ de dòng hé lǐmiàn de suǒyǒu rén. Xiànzài, zǒu ba!"

Zài shāndòng lǐ, Hóng Hái'ér zhèng zuò zài yǐzi shàng. Qítā jǐ gè xiǎo móguǐ zhèngzài xǐzhe Tángsēng, zhǔnbèi bǎ tā zuò chéng fàn chī le. Móguǐ shìbīng pǎo le jìnlái, duì Hóng Hái'ér shuō, yǒu liǎng gè chǒu héshàng zhèng zhàn zài wàimiàn xiǎng yào dài zǒu Tángsēng. "Tāmen zhǎng dé shénme yàngzi?" Hóng Hái'ér wèn.

们。”

他们日夜行走，走了一百里。终于，他们来到了一片松树林，那里有一股冷流。溪流的另一边是悬崖。悬崖底是一个有一扇很重石门的大洞。孙悟空让沙留下来，看着马和行李，他和猪前往山洞找唐僧。

当他们来到火洞时，他们看到十几个小魔鬼站在石门前。魔鬼们都拿着剑。孙悟空对他们喊道：“快，去告诉你们的主人，把唐僧还给我们。如果你说半个‘不’字，我们会毁坏你的洞和里面的所有人。现在，走吧！”

在山洞里，红孩儿正坐在椅子上。其他几个小魔鬼正在洗着唐僧，准备把他做成饭吃了。魔鬼士兵跑了进来，对红孩儿说，有两个丑和尚正站在外面想要带走唐僧。“他们长得什么样子？”红孩儿问。

"Qízhōng yígè máo liǎn, bízi xiàng léishén. Lìng yígè yě yǒu hěnduō máo, cháng ěrduǒ, cháng bízi. Tāmen liǎ dōu hěn chǒu."

"A, nà yídìng shì Sūn Wùkōng hé Zhū Bājiè," Hóng Hái'ér shuō. Tā zhǐzhe jǐ gè xiǎo móguǐ, shuō: "Nǐ, nǐ, hé nǐ, ná xiǎochē, bǎ tāmen tuī dào mén wài. Nǐ, bǎ wǒ de cháng máo gěi wǒ." Yígè xiǎo móguǐ gěi le Hóng Hái'ér yì bǎ shíbā chǐ cháng de jiān shàng dài huǒ de cháng máo. Qítā rén bǎ wǔ liàng xiǎo mùchē tuīchū mén.

Zhū kàn dào zhège, shuō: "Zhè shì shénme? Tāmen hàipà wǒmen, suǒyǐ tāmen juédìng bānchū tāmen de dòng, qù qítā dìfāng?"

"Bù," Sūn Wùkōng huídá, "Kànkan tāmen bǎ chē fàng zài nǎlǐ." Zhū kàn le kàn, tā fāxiàn zhè wǔ liàng chē bèi fàng chéng wǔjiǎo xīng de yàngzi, duìzhe jīn, mù, shuǐ,

“其中一个毛脸，鼻子像雷神。另一个也有很多毛，长耳朵，长鼻子。他们俩都很丑。”

“啊，那一定是孙悟空和猪八戒，”红孩儿说。他指着几个小魔鬼，说：“你，你，和你，拿小车，把它们推到门外。你，把我的长矛[25]给我。”一个小魔鬼给了红孩儿一把十八尺长的尖上带火的长矛。其他人把五辆小木车推出门。

猪看到这个，说：“这是什么？他们害怕我们，所以他们决定搬出他们的洞，去其他地方？”

“不，”孙悟空回答，“看看他们把车放在哪里。”猪看了看，他发现这五辆车被放成五角星[26]的样子，对着金，木，水，

---

[25] 矛　máo – spear
[26] 五角星　wǔjiǎo xīng - pentagram

huǒ hé tǔ. Měi gè xiǎochē pángbiān dōu yǒu yígè xiǎo móguǐ zhàn zài nàlǐ kànzhe.

Hóng Hái'ér cóng shāndòng lǐ chūlái. Nǐ wèn tā zhǎng shénme yàngzi?

Tā de liǎn bái dé xiàng xuě,

Tā de chún hóng dé xiàng xuě,

Tā de tóufǎ hēi dé xiàng yè,

Tā de méi xiàng dāo kè chū de liǎng gè yuèliang,

Dà gèzi jǔ qǐ tā de cháng máo.

Tā dǐngzhe míngliàng de guāng zǒu chūlái,

Tā de páoxiāo xiàng léitíng,

Tā yǎn lǐ de guāng xiàng shǎndiàn

Jiào tā Hóng Hái'ér, jiǔjiǔ yǒumíng de míngzì.

火和土[27]。每个小车旁边都有一个小魔鬼站在那里看着。

红孩儿从山洞里出来。你问他长什么样子？

他的脸白得像雪，

他的唇[28]红得像血，

他的头发黑得像夜，

他的眉[29]像刀刻[30]出的两个月亮，

大个子举起他的长矛。

他顶着明亮的光走出来，

他的咆哮[31]像雷霆，

他眼里的光像闪电

叫他红孩儿，久久有名的名字。

---

[27] These are the 五行 (wǔxíng), the five phases or essential processes. Wood feeds fire, fire makes earth (ash), earth yields metal (mining), metal collects water (condensation), and water nourishes wood.

[28] 唇　chún – lip

[29] 眉　méi – eyebrow

[30] 刻　kè – to carve

[31] 咆哮　páoxiāo – to roar

“Shuí gǎn zài wǒ de shāndòng wàimiàn dàshēng shuōhuà?” Tā páoxiāozhe.

Sūn Wùkōng xiào le. “Zhè shì nǐ de lǎo jiùjiu! Nǐ wèishénme kàn shàngqù zhège yàngzi? Jīntiān zǎoshàng, nǐ zhǐshì yígè diào zài shù shàng de xiǎo nánhái. Nǐ hái jìdé ma, wǒ bēizhe nǐ. Xiànzài nǐ jiù zhèyàng huíbào wǒ de réncí ma? Bié zài wán le, bǎ wǒ de shīfu huán gěi wǒ. Rúguǒ nǐ bú zhèyàng zuò, wǒ kěnéng zhǐdé hé nǐ bàba tántan, nǐ bùxiǎng nàyàng zuò, duì ma?”

“Nǐ zài zuò shénme, nǐ zhè chǒu húsūn? Nǐ búshì wǒ de jiùjiu.”

“Ò, shìde, wǒ shì nǐ de jiùjiu. Wǒ shì Sūn Wùkōng, Qí Tiān Dà Shèng. Wǔbǎi nián qián, wǒ zài tiāngōng lǐ zhǎo le hěn dà de máfan. Nà shí, wǒ yóu zǒu shìjiè, zhǎo dìqiú shàng de dà yīngxióng. Wǒ yù dào le nǐ de bàba, Niú Mówáng, wǒmen chéngwéi le hǎo péngyǒu. Hái yǒu qítā wǔ gè rén: Lóng Mówáng, Yīng Mówáng, Shī Mówáng, yígè jiào tā zìjǐ Tōngfēng Dà Shèng de mǔ

“谁敢在我的山洞外面大声说话？”他咆哮着。

孙悟空笑了。“这是你的老舅舅！你为什么看上去这个样子？今天早上，你只是一个吊在树上的小男孩。你还记得吗，我背着你。现在你就这样回报我的仁慈吗？别再玩了，把我的师父还给我。如果你不这样做，我可能只得和你爸爸谈谈，你不想那样做，对吗？”

“你在做什么，你这丑猢狲？你不是我的舅舅。”

“哦，是的，我是你的舅舅。我是孙悟空，齐天大圣。五百年前，我在天宫里找了很大的麻烦。那时，我游走世界，找地球上的大英雄。我遇到了你的爸爸，牛魔王，我们成为了好朋友。还有其他五个人：龙魔王，鹰魔王，狮魔王，一个叫她自己通风大圣的母

hóu wáng, hé Dà Húsūn Mówáng. Wǒmen qī gè chéngwéi yìjiā rén. Zhè yuǎn zài nǐ chūshēng zhīqián."

Hóng Hái'ér méiyǒu huídá. Tā bù guānxīn Sūn Wùkōng shì tā de jiùjiu, dàn tā jìdé Sūn Wùkōng nàtiān zǎoshàng xiǎngzhe yào shā sǐ tā. Tā xiǎng yào yòng huǒ máo qù cì hóuzi. Sūn Wùkōng hěn róngyì de jiù zǒu dào yìbiān, xiǎng yòng tā de bàng dǎ yāoguài. Tāmen zhàndòu le hěn cháng shíjiān. Měi gè rén dōu xiǎng yào Tángsēng, dàn wèile bùtóng de yuányīn. Sūn Wùkōng xiǎng bǎohù héshang, Hóng Hái'ér xiǎng chī héshang.

Zhū kànzhe zhè chǎng zhàndòu yǐ yǒu yíduàn shíjiān le . Ránhòu tā zǒu shàng qián qù, bǎ bàzi zhòngzhòng de dǎ zài le Hóng Hái'ér de tóu shàng. Hóng Hái'ér liàngqiàng le yíxià, ránhòu tā hěn kuài de táopǎo le. Zhū hé Sūn Wùkōng gēnzhe tā. Hóng Hái'ér pǎo dào yí liàng chē shàng. Ránhòu tā de shǒu dǎ zài zìjǐ bízi shàng! Zhū xiàozhe shuō: "Kànkan tā, nàyàng de dǎ tā zìjǐ. Wǒ juédé tā

猴王，和大猢狲魔王。我们七个成为一家人。这远在你出生之前。”

红孩儿没有回答。他不关心孙悟空是他的舅舅，但他记得孙悟空那天早上想着要杀死他。他想要用火矛去刺[32]猴子。孙悟空很容易地就走到一边，想用他的棒打妖怪。他们战斗了很长时间。每个人都想要唐僧，但为了不同的原因[33]。孙悟空想保护和尚，红孩儿想吃和尚。

猪看着这场战斗已有一段时间了。然后他走上前去，把耙子重重地打在了红孩儿的头上。红孩儿踉跄[34]了一下，然后他很快地逃跑了。猪和孙悟空跟着他。红孩儿跑到一辆车上。然后他的手打在自己鼻子上！猪笑着说："看看他，那样的打他自己。我觉得他

---

[32] 刺 cì – thorn, to stab
[33] 原因 yuányīn – reason
[34] 踉跄 liàngqiàng – to stagger

xiǎng ràng zìjǐ liúxuè, zhèyàng tā jiù kěyǐ qù fǎguān nàlǐ gào wǒmen!"

Jiù zài nà shí, Hóng Hái'ér niàn le yígè mó yǔ. Huǒ hé hēi yān cóng tā de zuǐ lǐ chūlái. Dòng de fùjìn biàn dé xiàng huǒpén yíyàng rè. Zhū shuō: "Wǒmen zuì hǎo líkāi zhèlǐ. Wǒ bùxiǎng bèi zhǔ le. Nàge yāoguài xiǎng yào zài wǎnfàn shàng bǎ wǒ chī le."

Sūn Wùkōng tiào jìn huǒ zhōng, yòng tā de mófǎ bǎohù zìjǐ. Tā xiǎng zhǎodào Hóng Hái'ér, dànshì yān tài duō le, tā shénme yě kàn bújiàn. Hóng Hái'ér hé xiǎo móguǐ pǎo huí shāndòng hòu, bǎ shímén suǒ le.

Sūn Wùkōng huí dào xiǎo xī de lìng yìbiān, Zhū, Shā zài zhèlǐ děng tā. Tā duì Zhū dà hǎn: "Nǐ zhège bèn rén, nǐ wèishénme bù bāng wǒ? Dāng nǐ ānquán táozǒu shí, wǒ zhǐ néng zìjǐ yígè rén jìnrù huǒ zhōng. Wǒ xiǎng wǒ zhǐ néng zìjǐ qù dǎ suǒyǒu de zhàn

想让自己流血，这样他就可以去法官那里告[35]我们！”

就在那时，红孩儿念了一个魔语。火和黑烟从他的嘴里出来。洞的附近变得像火盆一样热。猪说：“我们最好离开这里。我不想被煮[36]了。那个妖怪想要在晚饭上把我吃了。”

孙悟空跳进火中，用他的魔法保护自己。他想找到红孩儿，但是烟太多了，他什么也看不见。红孩儿和小魔鬼跑回山洞后，把石门锁了。

孙悟空回到小溪的另一边，猪，沙在这里等他。他对猪大喊：“你这个笨人，你为什么不帮我？当你安全逃走时，我只能自己一个人进入火中。我想我只能自己去打所有的战

---

[35] 告 gào – to sue
[36] 煮 zhǔ – to cook

dòu le. Gàosù wǒ, hé wǒ bǐ, yāoguài de zhàndǒu cáinéng zěnme yàng?"

"Bù hǎo." Zhū shuō. Ránhòu tāmen liǎng gè kāishǐ tán duì yāoguài hé tā de Sānmèi huǒ de bùtóng de zhàn dǒu fāngfǎ. Tāmen zhǎobúdào duì Hóng Hái'ér de hǎo de zhàndǒu fāngfǎ. Jǐ fēnzhōng hòu, Shā Wùjìng kāishǐ dà xiào.

"Nǐ zài xiào shénme?" Sūn Wùkōng wèn.

"Nǐmen liǎng gè dōu méi xiǎng qīngchǔ." Tā huídá shuō. "Dāngrán, nǐ shì yígè bǐ tā gèng hǎo de zhànshì. Dànshì nǐ bú huì yíng, yīnwèi nà huǒ hé nà yān. Dànshì nǐ wàngjì le yí jiàn zhòngyào de shìqing. Gàosù wǒ, shénme néng kè huǒ?"

"Nǐ shuō de duì!" Sūn Wùkōng shuō. "Shuǐ kè huǒ. Wǒ zhǐ xūyào zhǎodào zúgòu de shuǐ lái miè yāoguài de huǒ. Zhèyàng jiù hěn róngyì yíngdé hé tā de zhàndòu, wǒmen jiù kěyǐ jiùchū shīfu. Nǐmen liǎng gè liú zài zhèlǐ. Wǒ yào qù dōng dà huǎ hé wǒ

斗了。告诉我，和我比，妖怪的战斗才能怎么样？”

“不好。”猪说。然后他们两个开始谈对妖怪和他的三昧火的不同的战斗方法。他们找不到对红海儿的好的战斗方法。几分钟后，沙悟净开始大笑。

“你在笑什么？”孙悟空问。

“你们两个都没想清楚。” 他回答说。“当然，你是一个比他更好的战士。但是你不会赢，因为那火和那烟。但是你忘记了一件重要的事情。告诉我，什么能克[37]火？”

“你说的对！”孙悟空说。“水克火。我只需要找到足够的水来灭妖怪的火。这样就很容易赢得和他的战斗，我们就可以救出师父。你们两个留在这里。我要去东大海和我

---

[37] 克 kè – to overcome

de lǎo péngyǒu sìhǎi lóngwáng Áorùn tántan. Tā huì gěi wǒmen dài lái shuǐ."

Lǎo hóuzi yòng tā de jīndǒu yún mǎshàng qù le dōng dàhǎi. Ránhòu, tā yòng tā de mófǎ zài shuǐshàng dǎkāi le yìtiáo gān de lù. Yígè shuǐshén kànjiàn le tā, gàosù Áorùn shuō Sūn Wùkōng lái le. Jǐ fēnzhōng hòu, lóngwáng jiàn le Sūn Wùkōng. Tā qǐng Sūn Wùkōng hé tā yìqǐ zuò xiàlái hē chá.

"Méi shíjiān le, wǒ de lǎo péngyǒu," Sūn Wùkōng shuō. "Wǒ bìxū hé nǐ tántan huì gěi nǐ dài lái máfan de shìqing. Wǒ hé wǒ de shīfu zhèngzài lǚtú shàng. Wǒmen yào qù xītiān zhǎo fó shū, ránhòu bǎ tāmen dài huí Táng dìguó. Wǒmen yù dào le yígè jiào Hóng Hái'ér de yāoguài. Nàge yāoguài zhuā le wǒ de shīfu. Wǒ bǐ yāoguài qiángdà, wǒ shì gèng hǎo de zhànshì. Dànshì yāoguài yòng le hēi yān hé dàhuǒ. Wǒmen bùnéng hé zhè zhàndòu. Suǒyǐ wǒ lái wèn nǐ yào shuǐ. Wǒ qǐng nǐ dài qù dàyǔ bǎ yāoguài de huǒ miè le. Ránhòu wǒmen kěyǐ jiùchū Tángsēng."

"Duìbùqǐ, wǒ de péngyǒu," lóngwáng huídá. "Wǒ bù

的老朋友四海龙王敖闰谈谈。他会给我们带来水。”

老猴子用他的筋斗云马上去了东大海。然后，他用他的魔法在水上打开了一条干的路。一个水神看见了他，告诉敖闰说孙悟空来了。几分钟后，龙王见了孙悟空。他请孙悟空和他一起坐下来喝茶。

“没时间了，我的老朋友，”孙悟空说。“我必须和你谈谈会给你带来麻烦的事情。我和我的师父正在旅途上。我们要去西天找佛书，然后把它们带回唐帝国。我们遇到了一个叫红孩儿的妖怪。那个妖怪抓了我的师父。我比妖怪强大，我是更好的战士。但是妖怪用了黑烟和大火。我们不能和这战斗。所以我来问你要水。我请你带去大雨把妖怪的火灭了。然后我们可以救出唐僧。”

“对不起，我的朋友，”龙王回答。“我不

néng bāng nǐ."

"Dànshì nǐ shì Áorùn, sìhǎi dà lóngwáng. Shìjiè shàng de yǔ dōu shì nǐ xià de. Rúguǒ wǒ bùnéng wèn nǐ, wǒ kěyǐ wèn shuí?"

"Wǒ dài lái yǔ zhè shì zhēn de, dàn wǒ bùnéng shénme shíhòu xiǎng xià yǔ jiù xià yǔ. Zhè shì Yùhuáng Dàdì juédìng de. Tā juédìng yīnggāi xià jǐ chǐ jǐ cùn yǔ, hé xià yǔ de rìzi hé shíjiān. Tā xiě xiàlái, ránhòu bǎ wénshū sòng gěi Běijíxīng. Ránhòu wǒ jiào lái léishén, diàn mǔ, fēng jiù hé yún hái, ránhòu wǒmen yìqǐ kaīshǐ xià yǔ."

"Wǒ bù xūyào léi, shǎndiàn, fēng huò yún. Zhǐyào hěnduō de yǔ."

"Hǎo de, nàme wǒ kěyǐ bāngzhù nǐ. Dànshì wǒ xūyào wǒ xiōngdìmen de bāngzhù." Ránhòu, lóngwáng dǎzhe tā de dà gǔ, dǎzhe tā de dà zhōng. Hěn kuài lìngwài sān lóng dào le:

能帮你。”

“但是你是敖闰，四海大龙王。世界上的雨都是你下的。如果我不能问你，我可以问谁？”

“我带来雨这是真的，但我不能什么时候想下雨就下雨。这是玉皇大帝决定的。他决定应该下几尺几寸雨，和下雨的日子和时间。他写下来，然后把文书送给北极星。然后我叫来雷神，电母，风舅和云孩，然后我们一起开始下雨。”

“我不需要雷，闪电，风或云。只要很多的雨。”

“好的，那么我可以帮助你。但是我需要我兄弟们的帮助。”然后，龙王打着他的大鼓[38]，打着他的大钟[39]。很快另外三龙到了：

---

[38] 鼓 gǔ – drum
[39] 钟 zhōng – bell

nánhǎi lóngwáng, xīhǎi lóngwáng hé běihǎi lóngwáng. Sūn Wùkōng xiàng tāmen shuō le tā de máfan, tāmen dōu tóngyì gěi tā bāngzhù. Wǒmen yǒu yì shǒu shī zhèyàng xiě dào:

> Sìhǎi lóngwáng yuàn bāngmáng,
>
> Qí Tiān Dà Shèng qiú bāngzhù.
>
> Dà Táng sēngrén yù máfan,
>
> Sì rén qǔ shuǐ miè dàhuǒ.

Sūn Wùkōng hé sì wèi lóngwáng hěn kuài huí dào Huǒ Dòng. Tā duì tāmen shuō: "Zhè shì móguǐ de dòng. Qǐng děng zài zhèlǐ, búyào ràng rènhé rén kàndào nǐmen. Wǒ yào qù hé Hóng Hái'ér zhàndòu. Rúguǒ wǒ yíng le, wǒ jiù bù xūyào nǐmen de bāngzhù. Rúguǒ wǒ shū le, wǒ huì sǐ, wǒ jiù bù xūyào nǐmen de bāngzhù. Dànshì, rúguǒ tā fànghuǒ, wǒ yào nǐmen de bāngzhù, qǐng sòng yǔ lái." Sì wèi lóngwáng tóngyì le.

Ránhòu hóuzi pǎo dào dòng mén qián, dà hǎn: "Kāimén!"

Shímén kāi le, Hóng Hái'ér chūlái. Tā de shēnhòu yǒu wǔ gè xiǎo

南海龙王，西海龙王和北海龙王。孙悟空向他们说了他的麻烦，他们都同意给他帮助。我们有一首诗这样写道：

四海龙王愿帮忙，

齐天大圣求帮助。

大唐僧人遇麻烦，

四人取水灭大火。

孙悟空和四位龙王很快回到火洞。他对他们说：“这是魔鬼的洞。请等在这里，不要让任何人看到你们。我要去和红孩儿战斗。如果我赢了，我就不需要你们的帮助。如果我输了，我会死，我就不需要你们的帮助。但是，如果他放火，我要你们的帮助，请送雨来。”四位龙王同意了。

然后猴子跑到洞门前，大喊：“开门！”

石门开了，红孩儿出来。他的身后有五个小

móguǐ, měi gè xiǎo móguǐ dōu tuīzhe yí liàng xiǎochē. Tā shuō: "Nǐ wèishénme huílái? Nǐ yídìng shì yì zhī fēicháng bèn de hóuzi. Wǒ yǒu gè zhǔyì: Wàngjì nǐ de shīfu ba. Wǒmen yào zài wǎnfàn shí chī le tā, méiyǒu tā, nǐ kěyǐ zǒu nǐ de lù de."

Zhè ràng Sūn Wùkōng fēicháng shēngqì, tā xiǎng yòng tā de bàng dǎ Hóng Hái'ér. Tāmen zàicì kāishǐ zhàndòu. Tāmen zhàndòu le hěn cháng shíjiān. Tāmen liǎ dōu dǎ dé hěn hǎo, méiyǒu rén néng yíng. Zuìhòu, Hóng Hái'ér xiǎng yòng tā de cháng máo dǎ Sūn Wùkōng, ránhòu tā hěn kuài zhuǎnguò shēn, yònglì dǎ le zìjǐ de bízi liǎng cì. Huǒ hé yān cóng tā de bízi hé zuǐ lǐ chūlái. Gèng duō de huǒ cóng tā sìzhōu de wǔ liàng xiǎochē lǐ fāchū.

"Kuài, lóngwáng, xiànzài xià yǔ!" Sūn Wùkōng dà hǎn. Tiān kāishǐ xià yǔ. Kāishǐ de shíhòu, yǔ hěn xiǎo, xiàng zǎoshàng de wù. Ránhòu, yǔ dà le, xiàng chūntiān de zhènyǔ. Ránhòu yǔ gèng dà le, xiàng xiàtiān de léiyǔ. Yǔ yuè lái yuè dà. Shuǐ xiàng

魔鬼，每个小魔鬼都推着一辆小车。他说：“你为什么回来？你一定是一只非常笨的猴子。我有个主意：忘记你的师父吧。我们要在晚饭时吃了他，没有他，你可以走你的路的。”

这让孙悟空非常生气，他想用他的棒打红孩儿。他们再次开始战斗。他们战斗了很长时间。他们俩都打得很好，没有人能赢。最后，红孩儿想用他的长矛打孙悟空，然后他很快转过身，用力打了自己的鼻子两次。火和烟从他的鼻子和嘴里出来。更多的火从他四周的五辆小车里发出。

“快，龙王，现在下雨！”孙悟空大喊。天开始下雨。开始的时候，雨很小，像早上的雾。然后，雨大了，像春天的阵雨。然后雨更大了，像夏天的雷雨。雨越来越大。水像

yù pùbù yíyàng cóng shān biān fēi liú zhíxià. Héshuǐ màn shàng hé àn, niǎo er duǒ zài shù shàng, dòngwù pǎo xiàng gāo chù.

Dànshì yǔ méiyǒu bǎ Hóng Hái'ér de huǒ miè le. Zhè shì yīnwèi zhè yǔ zhǐshì pǔtōng de yǔ. Tā búshì Yùhuáng Dàdì fāsòng de yǔ, suǒyǐ tā méiyǒu bànfǎ miè le Hóng Hái'ér zào de Sānmèi huǒ. Yǔshuǐ ràng huǒ yuè lái yuè dà, jiù xiàng jiā le yóu yíyàng. Sūn Wùkōng xiǎng zǒu jìn huǒ zhōng zhǎo Hóng Hái'ér. Yāoguài xiàng tā tǔchū yì tuán hēi yān. Zhè duì Sūn Wùkōng lái shuō tài lìhài le. Tā shēnshàng dàizhe huǒ fēi zǒu le. Tā tiào rù hěn lěng de shānlǐ xiǎo xī zhōng mièhuǒ. Dànshì lěngshuǐ duì tā lái shuō tài lěng le, tā yūn dǎo le.

Sì wèi lóngwáng kàndào le zhè, tāmen gǎndào fēicháng hàipà. Tāmen gāo shēng jiào Zhū Bājiè hé Shā Wùjìng lái bāngzhù Sūn Wùkōng. Liǎng gè túdì pǎo dào xiǎo xī àn biān, kànzhe shuǐ. Tāmen kàn dào Sūn Wùkōng piāo zài shuǐmiàn shàng, liǎn xiàng xià, méiyǒu dòng. Shā tiào jìn

玉瀑布一样从山边飞流直下。河水漫[40]上河岸，鸟儿躲在树上，动物跑向高处。

但是雨没有把红孩儿的火灭了。这是因为这雨只是普通的雨。它不是玉皇大帝发送的雨，所以它没有办法灭了红孩儿造的三昧火。雨水让火越来越大，就像加了油一样。孙悟空想走进火中找红孩儿。妖怪向他吐出一团[41]黑烟。这对孙悟空来说太厉害了。他身上带着火飞走了。他跳入很冷的山里小溪中灭火。但是冷水对他来说太冷了，他晕[42]倒了。

四位龙王看到了这，他们感到非常害怕。他们高声叫猪八戒和沙悟净来帮助孙悟空。两个徒弟跑到小溪岸边，看着水。他们看到孙悟空漂在水面上，脸向下，没有动。沙跳进

---

[40] 漫　màn – to overflow
[41] 团　tuán – (measure word for lump, ball, mass)
[42] 晕　yūn – to faint

xiǎo xī, bǎ tā bào qǐlái, bǎ tā dài dào hé àn. Tā de shēntǐ xiàng xīshuǐ yíyàng lěng.

Shā yǐwéi tā yǐjīng sǐ le, dàn Zhū shuō: "Bié dānxīn, zhè zhī lǎo hóuzi yǐjīng huó le hěnjiǔ le. Wǒ xiǎng tā yǒu qīshí èr tiáo shēngmìng. Ràng wǒmen jiào xǐng tā." Tāmen ràng tā zuò qǐlái, Zhū kāishǐ gěi tā ànmó. Jǐ fēnzhōng hòu, ànmó ràng tā yǒu le hūxī, Sūn Wùkōng zhāng kāi yǎnjīng. Tā zhǎ le zhǎ tā de yǎnjīng, ránhòu kàn le sìzhōu. Tā kàn dào le Shā hé Zhū, dàn méiyǒu kàn dào lóng.

"Hǎi xiōngdìmen, nǐmen zài nǎlǐ?" Tā wèn.

Sì wèi lóngwáng huídá shuō: "Nǐ de xiǎolóng zài zhèlǐ. Wǒmen cìhòu nǐ."

"Hěn duìbùqǐ, gěi nǐmen dài lái le suǒyǒu zhèxiē máfan. Dànshì wǒmen hái méiyǒu yíngdé zhè chǎng zhàndòu. Qǐng huíqù, wǒ guò xiē tiān zài gǎnxiè nǐmen." Sì wèi lóngwáng xiàng kōngzhōng sì gè

小溪，把他抱起来，把他带到河岸。他的身体像溪水一样冷。

沙以为他已经死了，但猪说："别担心，这只老猴子已经活了很久了。我想他有七十二条生命。让我们叫醒他。"他们让他坐起来，猪开始给他按摩[43]。几分钟后，按摩让他有了呼吸，孙悟空张开眼睛。他眨了眨他的眼睛，然后看了四周。他看到了沙和猪，但没有看到龙。

"海兄弟们，你们在哪里？"他问。

四位龙王回答说："你的小龙在这里。我们伺候[44]你。"

"很对不起，给你们带来了所有这些麻烦。但是我们还没有赢得这场战斗。请回去，我过些天再感谢你们。"四位龙王向空中四个

---

[43] 按摩 ànmó – massage
[44] 伺候 cìhòu – to wait upon

bùtóng de fāngxiàng fēi qù.

Sūn Wùkōng gǎndào fēicháng lèi, shēntǐ cóng shàng dào xià dōu bù shūfú. Tā bù zhīdào gāi zěnme bàn. Shā Wùjìng shuō: "Xiōngdìmen, wǒ jìdé Guānyīn púsà gàosùguò wǒmen, rúguǒ wǒmen xūyào, shàngtiān huì bāngzhù wǒmen. Nà xiànzài wǒmen xūyào tā. Wǒ xiǎng wǒmen yīnggāi qù nàlǐ yāoqiú bāngzhù."

"Zhège yāoguài fēicháng qiángdà," Sūn Wùkōng shuō. "Wǒmen bìxū dédào bǐ wǒ qiángdà de rén de bāngzhù. Wǒ rènwéi wǒmen bìxū qǐng Guānyīn bāngzhù wǒmen. Dànshì wǒ gǎnjué bù shūfú, wǒ xiǎng wǒ méiyǒu bànfǎ qiánwǎng nánhǎi qù jiàn tā. Zhū, nǐ néng bāng wǒ zǒu yícì ma?" Zhū tóngyì le, tā xiàng nánhǎi fēi qù zhǎo Guānyīn.

Zài shāndòng lǐ, Hóng Hái'ér hé tā de xiǎo móguǐ zài xiūxi. "Wǒ xiǎng zhīdào nàxiē zhǎo máfan de rén xiànzài zài zuò shénme?" Tā duì zìjǐ shuō. Tā zǒuchū shāndòng, táitóu kànzhe tiānkōng. Tā kàn dào Zhū Bājiè fēi xiàng nánfāng. Tā xīn xiǎng: "Nà zhǐnéng shì yí jiàn shì: Zhū rén yào qǐng Guānyīn bāngzhù. Dàn

不同的方向飞去。

孙悟空感到非常累，身体从上到下都不舒服。他不知道该怎么办。沙悟净说：“兄弟们，我记得观音菩萨告诉过我们，如果我们需要，上天会帮助我们。那现在我们需要它。我想我们应该去那里要求帮助。”

“这个妖怪非常强大，”孙悟空说。“我们必须得到比我强大的人的帮助。我认为我们必须请观音帮助我们。但是我感觉不舒服，我想我没有办法前往南海去见她。猪，你能帮我走一次吗？”猪同意了，他向南海飞去找观音。

在山洞里，红孩儿和他的小魔鬼在休息。“我想知道那些找麻烦的人现在在做什么？”他对自己说。他走出山洞，抬头看着天空。他看到猪八戒飞向南方。他心想：“那只能是一件事：猪人要请观音帮助。但

shì wǒ zhīdào qù nàlǐ de yìtiáo gèng kuài de lù." Tā fēi chū shāndòng, yòng le zhè gèng duǎn de lù dào le nánhǎi. Ránhòu tā lái dào le dìshàng, biàn le tā de yàngzi, ràng tā kàn shàngqù xiàng Guānyīn, ránhòu děngzhe Zhū.

Zhū zhèng fēi xiàng nánhǎi. Tā dītóu kànjiàn le Guānyīn. Zhū kànbùchū zhēn de hé bùshì zhēn de de bùtóng, suǒyǐ tā yǐwéi nà zhēn de shì Guānyīn. Tā dī dī de jūgōng shuō: "Púsà, nín de túdì Zhū Bājié xiàng nín kòutóu."

Yāoguài shuō: "Nǐ wèishénme zài zhèlǐ, bù qù bǎohù nǐ de shīfu?"

"Wǒmen zhèng xīxíng. Wǒmen yù dào le yígè jiào Hóng Hái'ér de qiángdà yāoguài. Yāoguài zhīdào zěnme yòng huǒ hé hēi yān zhàndòu. Wǒmen de dà túdì Sūn Wùkōng hé nà zhī yāoguài zhàndòu, dàn méi néng yíng. Tā bèi shāoshāng dé hěn lìhài, bùnéng dòng. Tā yào wǒ guòlái, qǐng nín jiù wǒmen de shīfu."

"Wǒ juédé Hóng Hái'ér bú huì shānghài nǐ huò nǐ de shīfu. Kě

是我知道去那里的一条更快的路。”他飞出山洞，用了这更短的路到了南海。然后他来到了地上，变了他的样子，让他看上去像观音，然后等着猪。

猪正飞向南海。他低头看见了观音。猪看不出真的和不是真的的不同，所以他以为那真的是观音。他低低的鞠躬说：“菩萨，您的徒弟猪八戒向您叩头。”

妖怪说：“你为什么在这里，不去保护你的师父？”

“我们正西行。我们遇到了一个叫红孩儿的强大妖怪。妖怪知道怎么用火和黑烟战斗。我们的大徒弟孙悟空和那只妖怪战斗，但没能赢。他被烧伤得很厉害，不能动。他要我过来，请您救我们的师父。”

“我觉得红孩儿不会伤害你或你的师父。可

néng nǐ shuō le xiē ràng tā shēngqì de huà."

"Wǒ méiyǒu. Dànshì wǒ de gēge xiǎng shā sǐ tā, wǒ rènwéi zhè ràng yāoguài yǒudiǎn shēngqì."

"Wǒ hěn yuànyì bāngzhù nǐ, gēn wǒ lái." Yāoguài shuō. Ránhòu tā hěn kuài ná chū yígè dà pí dài, fàng dào Zhū de shēnshàng, lā jǐn shéngzi, ràng Zhū méiyǒu bànfǎ táozǒu. Tā bǎ Zhū dài huí le tā de shāndòng. Tā shuō: "Wǒ huì bǎ nǐ liú zài zhèlǐ sì dào wǔ tiān, ránhòu wǒ huì bǎ nǐ zhēng le, bǎ nǐ sòng gěi wǒ de xiǎo móguǐmen zài wǎnfàn shí chī le. Wǒ juédé hēzhe hóngjiǔ, nǐ huì hěn hào chī."

Zài xiǎo xī duìmiàn, Sūn Wùkōng hé Shā zhèng děngzhe Zhū hé Guānyīn huílái. Tāmen děng le hěnjiǔ. Zài tāmen děng de shíhòu, yízhèn hěn bù hǎo wén de fēng chuīguò tāmen. "Zhè shì bù hǎo de fēng," Sūn Wùkōng shuō. "Wǒ juédé Zhū yǒu shénme bù hǎo de shì le." Suīrán tā hěn tòng, tā háishì pǎo dào dòng mén qián dà

能你说了些让他生气的话。”

“我没有。但是我的哥哥想杀死他，我认为这让妖怪有点生气。”

“我很愿意帮助你，跟我来。” 妖怪说。然后他很快拿出一个大皮袋[45]，放到猪的身上，拉紧绳子，让猪没有办法逃走。他把猪带回了他的山洞。他说：“我会把你留在这里四到五天，然后我会把你蒸了，把你送给我的小魔鬼们在晚饭时吃了。我觉得喝着红酒，你会很好吃。”

在小溪对面，孙悟空和沙正等着猪和观音回来。他们等了很久。在他们等的时候，一阵很不好闻的风吹过他们。“这是不好的风，”孙悟空说。“我觉得猪有什么不好的事了。”虽然他很痛，他还是跑到洞门前大

---

[45] 袋　dài – bag

hǎn: "Lǎo hóuzi yòu lái le. Kāimén!" Yìqún xiǎo móguǐ cóng shāndòng lǐ chūlái. Sūn Wùkōng shāng dé tài zhòng le, tā bùnéng zhàndòu. Suǒyǐ tā biàn chéng le yì xiǎo kuài bù.

Móguǐmen kànjiàn le nà kuài bù, bǎ tā dài huí shāndòng, gěi Hóng Hái'ér kàn. "Hóuzi pǎo le," tāmen shuō, "tā bǎ zhège diào zài le dìshàng."

"Zhè bú zhòngyào," Hóng Hái'ér shuō, "dàn wǒmen kěyǐ yòng tā lái bǔ yìxiē jiù yīfu." Tāmen bǎ bù rēng zài dòng lǐ de yígè jiǎoluò. Sūn Wùkōng biàn chéng le yì zhī xiǎo chóng. Tā zài shāndòng sìzhōu fēi. Hěn kuài, tā fāxiàn Zhū zài pí dài lǐ bèi kǔnzhe, tā zài duì tā zìjǐ shuōzhe suǒyǒu tā yào duì yāoguài hé xiǎo móguǐmen zuò de kěpà de shìqing. Sūn Wùkōng zìjǐ xiào le. Dàn tā yòu tīng dào Hóng Hái'ér shuō: "Shì shíhòu bǎ Tángsēng zhǔnbèi yíxià zuò wǎnfàn. Nǐmen liù gè," tā zhǐzhe liù gè xiǎo móguǐ, "qù zhǎo wǒ bàba Niú Mówáng. Qǐng tā lái zhèlǐ

喊："老猴子又来了。开门！"一群小魔鬼从山洞里出来。孙悟空伤得太重了，他不能战斗。所以他变成了一小块布[46]。

魔鬼们看见了那块布，把它带回山洞，给红孩儿看。"猴子跑了，"他们说，"他把这个掉在了地上。"

"这不重要，"红孩儿说，"但我们可以用它来补[47]一些旧衣服。"他们把布扔在洞里的一个角落[48]。孙悟空变成了一只小虫。他在山洞四周飞。很快，他发现猪在皮袋里被捆着，他在对他自己说着所有他要对妖怪和小魔鬼们做的可怕的事情。孙悟空自己笑了。但他又听到红孩儿说："是时候把唐僧准备一下做晚饭。你们六个，"他指着六个小魔鬼，"去找我爸爸牛魔王。请他来这里

---

46 布 bù – cloth
47 补 bǔ – to mend
48 角落 jiǎoluò – corner

chī wǎnfàn. Gàosù tā, rúguǒ tā chī le zhège héshang de ròu, tā de shēngmìng huì zhǎng yìqiān bèi."

Liù gè xiǎo móguǐ líkāi le shāndòng, kāishǐ xiàng xīnán pǎo xiàng Niú Mówáng de jiā. Sūn Wùkōng duì tā zìjǐ shuō: "Suǒyǐ, tāmen yào qù jiàn wǒ de xiōngdì, Niú Mówáng. Wǒmen de yǒuyì hěn qiángdà, dàn zhè shì hěnjiǔ yǐqián de shì le. Xiànzài, wǒ zài zǒu fó de lù, dàn tā háishì yígè móguǐ. Wǒ hái jìdé tā zhǎng shénme yàngzi. Wǒ yào bǎ wǒ biàn chéng xiàng tā de yàngzi, ránhòu wǒmen kànkan wǒ shìbùshì kěyǐ piàn le Hóng Hái'ér!"

Tā fēi dào le lí dòng xīnán shílǐ zuǒyòu de dìfāng. Tā biàn le tā de yàngzi, ràng tā kàn qǐlái xiàng Niú Mówáng. Ránhòu tā cóng tóushàng bá le jǐ gēn tóufǎ, shuō: "Biàn," tāmen biàn chéng le dài jiàn de xiǎo móguǐ. Tā bá le gèng duō de máo, bǎ tāmen biàn chéng gǒu. Xiànzài kàn qǐlái Niú Mówáng zhèngzài cānjiā dǎliè dàhuì.

吃晚饭。告诉他，如果他吃了这个和尚的肉，他的生命会长一千倍。”

六个小魔鬼离开了山洞，开始向西南跑向生魔王的家。孙悟空对他自己说：“所以，他们要去见我的兄弟，生魔王。我们的友谊[49]很强大，但这是很久以前的事了。现在，我在走佛的路，但他还是一个魔鬼。我还记得他长什么样子。我要把我变成像他的样子，然后我们看看我是不是可以骗了红孩儿！”

他飞到了离洞西南十里左右的地方。他变了他的样子，让他看起来像生魔王。然后他从头上拔了几根头发，说：“变，”它们变成了带剑的小魔鬼。他拔了更多的毛，把它们变成狗。现在看起来生魔王正在参加打猎大会。

---

[49] 友谊 yǒuyì – friendship

Liù gè móguǐ dào le, kànjiàn le Niú Mówáng. Tāmen kòutóu, tāmen zhōng de yígè shuō: "Bàba, wǒmen shì nín érzi Shèng Yīng Dàwáng ràng wǒmen lái de. Tā qǐng nín lái tā de jiā, hé tā yìqǐ chī Tángsēng de ròu. Nín de shēngmìng huì cháng yìqiān bèi."

Sūn Wùkōng huídá: "Qǐng qǐlái, háizimen. Wǒ hěn yuànyì gēn nǐ zǒu. Hé wǒ yìqǐ huí wǒjiā, zhèyàng wǒ kěyǐ chuān hǎo yīfu chī wǎnfàn."

"Bàba, wǒmen qǐng nín gēn wǒmen yìqǐ zǒu, búyào huí jiā le . Dào shāndòng yǒu hěn cháng de lù yào zǒu, wǒmen dānxīn rúguǒ wǒmen huíqù tài wǎn, wǒmen de zhǔrén huì duì wǒmen hěn bù mǎnyì!"

"Nǐ shì fēicháng hǎo de háizi!" Sūn Wùkōng shuō. "Hǎo ba, zǒu ba." Tāmen huí dào le Huǒ Dòng. Sūn Wùkōng jìnrù shāndòng, zuò zài le shàngzuò.

Hóng Hái'ér duì tā shuō: "Fù wáng, nín de háizi xiàng nín jūgōng." Ránhòu tā kòutóu sì cì.

六个魔鬼到了，看见了生魔王。他们叩头，他们中的一个说："爸爸，我们是您儿子圣婴大王让我们来的。他请您来他的家，和他一起吃唐僧的肉。您的生命会长一千倍。"

孙悟空回答："请起来，孩子们。我很愿意跟你走。和我一起回我家，这样我可以穿好衣服吃晚饭。"

"爸爸，我们请您跟我们一起走，不要回家了。到山洞有很长的路要走，我们担心如果我们回去太晚，我们的主人会对我们很不满意！"

"你是非常好的孩子！"孙悟空说。"好吧，走吧。"他们回到了火洞。孙悟空进入山洞，坐在了上座。

红孩儿对他说："父王，您的孩子向您鞠躬。"然后他叩头四次。

Sūn Wùkōng xiàozhe huídá: "Xièxiè, dànshì wǒ de háizi bù xūyào jūgōng. Gàosù wǒ, nǐ wèishénme qǐng wǒ lái zhèlǐ?"

"Bàba, nín de háizi méiyǒu cáinéng, dàn tā yǒu bànfǎ zhuā zhù le yígè xíng sēng. Zhè héshang shí cì shēngmìng zhòng dōu zài xuéxí fójiào. Rènhé rén chī le tā de ròu dōuhuì chángshēng bùlǎo. Nín de bèn érzi bù gǎn zìjǐ yígè rén chī zhège héshang. Suǒyǐ, wǒ qǐng nín yìqǐ lái, kěnéng huì ràng nín chángshēng."

Sūn Wùkōng wèn: "Wǒ de háizi, zhè héshang shì měi hóu wáng Qítiān Dàshèng de shīfu ma?"

"Shì de, tā shì."

"Wǒ de háizi, búyào zhāorě tā! Nǐ kěyǐ zhāorě biérén, dàn bùnéng zhāorě tā. Tā hěn qiángdà. Yǒu yí cì, tā zài tiāngōng zhǎo máfan, Yùhuáng Dàdì sòngchū shí wàn shìbīng qù zhuā tā, dàn tāmen zhuābúdào tā. Xiànzài nǐ xiǎng yòng chī le tā shī

孙悟空笑着回答：“谢谢，但是我的孩子不需要鞠躬。告诉我，你为什么请我来这里？”

“爸爸，您的孩子没有才能，但他有办法抓住了一个行僧。这和尚十次生命中都在学习佛教。任何人吃了他的肉都会长生不老。您的笨儿子不敢自己一个人吃这个和尚。所以，我请您一起来，可能会让您长生。”

孙悟空问：“我的孩子，这和尚是美猴王齐天大圣的师父吗？”

“是的，他是。”

“我的孩子，不要招惹[50]他！你可以招惹别人，但不能招惹他。他很强大。有一次，他在天宫找麻烦，玉皇大帝送出十万士兵去抓他，但他们抓不到他。现在你想用吃了他师

[50] 招惹 zhāorě – to provoke

fù lái zhāorě tā ma? Búyào zhèyàng zuò! Fàng le héshang. Rúguǒ nǐ bú zhèyàng zuò, hóuzi huì yòng tā de Jīn Gū Bàng dǎ nǐ hé nǐ de shāndòng. Ránhòu nǐ huì sǐ, nàme dāng wǒ lǎo de shíhòu shuí lái zhàogù wǒ ne?"

"Bàba, nín shuō zhè zhī hóuzi fēicháng de qiángdà, nà nín zìjǐ érzi de qiángdà ne? Wǒ yǐjīng hé zhè zhī hóuzi zhàndòu guò le , tā bù bǐ wǒ qiángdà. Tā hàipà jí le, suǒyǐ tā qǐng sì wèi lóngwáng bāngzhù. Dāngrán, nà méiyǒu yòng. Nà hóuzi jīhū bèi shā sǐ, tā yǐjīng táozǒu le. Xiànzài, wǒmen kěyǐ fàngsōng yíxià, kāikāixīnxīn de chī wǒmen de wǎnfàn, zhèyàng, nín de shēngmìng kěnéng huì gèng cháng, érqiě bú huì biàn lǎo."

"Wǒ de háizi, nǐ bù zhīdào zhè zhī hóuzi. Tā kěyǐ bǎ tā de yàngzi biàn chéng rènhé dōngxi. Tā kěyǐ biàn dé hěn xiǎo, xiàng chóngzi yíyàng. Tā kěyǐ biàn chéng hěn pǔtōng de dōngxi, xiàng yí kuài bù. Tā hái kěyǐ biàn chéng lìng yígè rén, jiù xiàng wǒ de yàngzi! Nǐ zěnme rèn chū tā?"

父来招惹他吗？不要这样做！放了和尚。如果你不这样做，猴子会用他的金箍棒打你和你的山洞。然后你会死，那么当我老的时候谁来照顾我呢？”

“爸爸，您说这只猴子非常的强大，那您自己儿子的强大呢？我已经和这只猴子战斗过了，他不比我强大。他害怕极了，所以他请四位龙王帮助。当然，那没有用。那猴子几乎被杀死，他已经逃走了。现在，我们可以放松一下，开开心心地吃我们的晚饭，这样，您的生命可能会更长，而且不会变老。”

“我的孩子，你不知道这只猴子。他可以把他的样子变成任何东西。他可以变得很小，像虫子一样。他可以变成很普通的东西，像一块布。他还可以变成另一个人， 就像我的样子！你怎么认出他？”

"Bàba, wǒ yǐjīng jīhū shā le tā. Tā bù gǎn huí dào zhèlǐ lái."

"Hǎo ba, wǒ de háizi, tīng qǐlái nǐ shìge wěidà de zhànshì, kěnéng bǐ hóuzi hái wěidà. Dànshì bùxìng de shì wǒ jīntiān bùnéng chī ròu. Zhèxiē tiān wǒ juédé lǎo le, suǒyǐ wǒ juédìng chīsù."

"A, zhè shì ge hěn yǒu yìsi de xiāoxī. Nín měitiān dōu chīsù ma?"

"Bù, měi yuè zhǐyǒu sì tiān. Jīntiān shì zhè sì tiān zhōng de zuìhòu yìtiān. Ràng wǒmen děngdào míngtiān zài chī Tángsēng."

Hóng Hái'ér tīng dào zhège, tā xīnlǐ xiǎng: "Yǒuxiē qíguài. Wǒ bàba chī rénròu yǐjīng huó le yìqiān nián. Xiànzài tā tūrán juédìng chīsù?" Tā zǒu chūqù, duì tā de yígè xiǎo móguǐ shuō: "Gàosù wǒ, nǐ zài nǎlǐ zhǎodào dàwáng de?"

"Wǒmen zhèng qù tā de jiā, wǒmen zài lùshàng yù dào le tā.

“爸爸，我已经几乎杀了他。他不敢回到这里来。”

“好吧，我的孩子，听起来你是个伟大的战士，可能比猴子还伟大。但是不幸[51]的是我今天不能吃肉。这些天我觉得老了，所以我决定吃素。”

“啊，这是个很有意思的消息。您每天都吃素吗？”

“不，每月只有四天。今天是这四天中的最后一天。让我们等到明天再吃唐僧。”

红孩儿听到这个，他心里想：“有些奇怪。我爸爸吃人肉已经活了一千年。现在他突然决定吃素？”他走出去，对他的一个小魔鬼说：“告诉我，你在哪里找到大王的？”

“我们正去他的家，我们在路上遇到了他。

51 不幸 bùxìng – unfortunately

Tā zài dǎliè."

"A! Wǒ xiǎng nà búshì wǒ bàba. Kàn qǐlái xiàng tā, dàn tā shuō chū de huà tīng qǐlái bú xiàng tā de huà. Dàjiā xiǎoxīn! Wǒ huì huíqù hé tā tántan. Rúguǒ tā de huà búduì, wǒ huì dà hǎn, nǐmen dōu bìxū dǎ tā."

Hóng Hái'ér huí dào tā bàba nàlǐ shuō: "Nín de bèn érzi ràng nín lái zhèlǐ yǒu liǎng gè yuányīn. Dāngrán xiān shì yào qǐng nín chī Tángsēng ròu. Érqiě, wǒ yǒu yígè wèntí yào wèn nín. Shàng gè xīngqī, wǒ xíngzǒu zài Jiǔxiāo Kōng lǐ, yù dào le dào sēng Zhāng Dàshī. Tā shuō tā kěyǐ gàosù wǒ wǒ de wèilái. Yào zuò nà, tā xūyào zhīdào wǒ chūshēng de xiǎoshí, rì, yuè hé nián. Wǒ bù zhīdào, suǒyǐ wǒ xīwàng nín néng gàosù wǒ, wǒ jiù kěyǐ gàosù Zhāng Dàshī."

Sūn Wùkōng duì zhè gǎndào hěn chījīng, xīnlǐ xiǎng: "A, zhè zhēnshì yígè fēicháng cōngming de yāoguài!" Tā xiàozhe duì Hóng Hái'ér shuō: "Wǒ de háizi, wǒ pà wǒ zhège niánlíng yǐjīng wàngjì le hěnduō shìqing. Wǒ bú jìdé nǐ shì shénme shíhòu chūshēng

他在打猎。”

“啊！我想那不是我爸爸。看起来像他，但他说出的话听起来不像他的话。大家小心！我会回去和他谈谈。如果他的话不对，我会大喊，你们都必须打他。”

红孩儿回到他爸爸那里说：“您的笨儿子让您来这里有两个原因。当然先是要请您吃唐僧肉。而且，我有一个问题要问您。上个星期，我行走在九霄空里，遇到了道僧张大师。他说他可以告诉我我的未来。要做那，他需要知道我出生的小时、日、月和年。我不知道，所以我希望您能告诉我，我就可以告诉张大师。”

孙悟空对这感到很吃惊，心里想：“啊，这真是一个非常聪明的妖怪！”他笑着对红孩儿说：“我的孩子，我怕我这个年龄已经忘记了很多事情。我不记得你是什么时候出生

de. Wǒ míngtiān huí jiā wènwen nǐ de māma."

Mǎshàng, Hóng Hái'ér zhīdào zhè búshì tā de bàba, yīnwèi tā de bàba zǒng shì gàosù tā tā chūshēng de jíxiáng rìzi hé shíjiān. Tā dàshēng jiào xiǎo móguǐ dǎ Sūn Wùkōng. Sūn Wùkōng biàn chéng yí shù guāng, líkāi le shāndòng.

Hóng Hái'ér méiyǒu xiǎng yào gēnzhe tā. Tā gǎndào yǒudiǎn bù shūfú, yīnwèi tā gānggāng gàosù tā de xiǎo móguǐ qù dǎ yígè kàn qǐlái xiàng tā bàba de rén. Tā huī le huī shǒu, duì xiǎo móguǐ shuō: "Hǎo ba, hǎo ba, fàng tā zǒu. Xǐ yíxià Tángsēng, bǎ tā zhǔnbèi yíxià yòng lái zuò wǎnfàn."

Sūn Wùkōng zǒuguò xiǎo xī, jiàn dào le Shā. Tā xiàozhe shuō: "Xiōngdì, wǒ yíng le yāoguài yícì. Wǒmen de Zhū xiōngdì bèi zhuā le, zài dòng lǐ bèi fàng zài yígè pí dài lǐ. Wǒ xiǎng jìnrù shāndòng, suǒyǐ biàn le wǒ de yàngzi, kàn qǐlái xiàng yāoguài de bàba. Yāoguài bù zhīdào shì wǒ, suǒyǐ tā sì cì xiàng wǒ kòu

的。我明天回家问问你的妈妈。”

马上，红孩儿知道这不是他的爸爸，因为他的爸爸总是告诉他他出生的吉祥[52]日子和时间。他大声叫小魔鬼打孙悟空。孙悟空变成一束光，离开了山洞。

红孩儿没有想要跟着他。他感到有点不舒服，因为他刚刚告诉他的小魔鬼去打一个看起来像他爸爸的人。他挥了挥手，对小魔鬼说："好吧，好吧，放他走。洗一下唐僧，把他准备一下用来做晚饭。”

孙悟空走过小溪，见到了沙。他笑着说："兄弟，我赢了妖怪一次。我们的猪兄弟被抓了，在洞里被放在一个皮袋里。我想进入山洞，所以变了我的样子，看起来像妖怪的爸爸。妖怪不知道是我，所以他四次向我叩

[52] 吉祥 jíxiáng – auspicious

tóu. Zhēnshì kuàilè!"

Shā huídá: "Gēge, wǒ pà nǐ xiǎng yào xiǎo yíng de yùwàng huì zǔzhǐ wǒmen jiù wǒmen de shīfu."

Sūn Wùkōng huídá: "Bié dānxīn, wǒ de péngyǒu. Zhège xiǎo yíng ràng wǒ wàngjì le wǒ de tòng! Xiànzài, wǒ yào qù nánhǎi qǐng Guānyīn bāngzhù wǒmen. Wǒ bú zài de shíhòu, nǐ yào zhàogù hǎo xínglǐ, kànhǎo mǎ." Ránhòu, tā yòng jīndǒu yún fēi dào le nánhǎi de Pǔtuóluòjiā shān. Tā fēi de hěn kuài, zhǐ yòng le bàn gè xiǎoshí jiù dào le . Tā jìn le Guānyīn de jiā, xiàng tā kòutóu.

Guānyīn shuō: "Wùkōng, nǐ wèishénme zài zhèlǐ? Nǐ yīnggāi zhèng dàizhe nǐ de shīfu qù xītiān."

Měi hóu wáng huídá: "Qǐng ràng wǒ gàosù nín fāshēng le shénme. Wǒmen zhèng xiàng xī xíngzǒu, lái dào le yí zuò gāoshān. Zài nàlǐ, wǒmen yù dào le yígè fēicháng cōngming de yāoguài, jiào Hóng Hái'ér. Tā zhuā zhù le wǒ de shīfu, bǎ tā dài huí le Huǒ

头。真是快乐！”

沙回答：“哥哥，我怕你想要小赢的欲望会阻止我们救我们的师父。”

孙悟空回答：“别担心，我的朋友。这个小赢让我忘记了我的痛！现在，我要去南海请观音帮助我们。我不在的时候，你要照顾好行李，看好马。”然后，他用筋斗云飞到了南海的普陀落伽山。他飞得很快，只用了半个小时就到了。他进了观音的家，向她叩头。

观音说：“悟空，你为什么在这里？你应该正带着你的师父去西天。”

美猴王回答：“请让我告诉您发生了什么。我们正向西行走，来到了一座高山。在那里，我们遇到了一个非常聪明的妖怪，叫红孩儿。他抓住了我的师父，把他带回了火

Dòng. Zhū Wùjìng hé wǒ hé tā zhàndòu, dàn tā yòng qiángdà de mófǎ xiàng wǒmen fāchū le Sānmèi huǒ hé hēi yān. Wǒmen yíngbùliǎo zhàndòu. Wǒ qǐng sìhǎi lóngwáng bāngmáng. Tā hé lìngwài sān wèi lóngwáng yìqǐ lái le. Tāmen sì gè dài lái le hěnduō yǔ, dànshì yǔ méiyǒu bǎ yāoguài de huǒ miè le. Nín de túdì bèi shāo de hěn lìhài, jīhū sǐ le."

"Rúguǒ tā yǒu Sānmèi huǒ, nà nǐ wèishénme qù zhǎo lóngwáng? Nǐ yīnggāi lái qǐng wǒ bāngmáng."

"Yīnwèi wǒ bèi shāoshāng le, wǒ méiyǒu bànfǎ lái. Wǒ ràng Zhū Wùjìng lái qǐng nín bāngmáng."

"Tā méiyǒu lái zhèlǐ."

"Tā shì méiyǒu. Yāoguài biàn chéng nín de yàngzi piàn le Zhū. Tā bǎ Zhū fàng zài yígè pí dài lǐ, bǎ tā dài huí le Huǒ Dòng. Xiànzài, yāoguài de dòng zhōng yǒu Tángsēng hé Zhū. Tā dǎsuàn bǎ tāmen liǎ zuò chéng fàn chī le."

"Nàge yāoguài gǎn biàn chéng wǒ de yàngzi!" Tā shēngqì de

洞。猪悟净和我和他战斗，但他用强大的魔法向我们发出了三昧火和黑烟。我们赢不了战斗。我请四海龙王帮忙。他和另外三位龙王一起来了。他们四个带来了很多雨，但是雨没有把妖怪的火灭了。您的徒弟被烧得很厉害，几乎死了。”

“如果他有三昧火，那你为什么去找龙王？你应该来请我帮忙。”

“因为我被烧伤了，我没有办法来。我让猪悟净来请您帮忙。”

“他没有来这里。”

“他是没有。妖怪变成您的样子骗了猪。他把猪放在一个皮袋里，把他带回了火洞。现在，妖怪的洞中有唐僧和猪。他打算把他们俩做成饭吃了。”

“那个妖怪敢变成我的样子！”她生气地

shuō. Tā zhuā qǐ yígè báisè de cí huāpíng, rēng jìn dàhǎi. Jǐ miǎo zhōng hòu, huāpíng yòu huílái le. Tā tíng zài yì zhī dà hēi wūguī de bèi shàng. Wūguī zǒuchū shuǐmiàn, xiàng Guānyīn diǎntóu èrshísì cì, yìsi shì tā zhèng xiàng tā jūgōng èrshísì cì. Huāpíng cóng wūguī de bèi shàng huáluò dào dìmiàn shàng. Ránhòu wūguī huí dào le dàhǎi.

"Wùkōng, qù ná nàge huāpíng gěi wǒ," tā shuō. Sūn Wùkōng xiǎng bǎ tā ná qǐlái, dàn tā méiyǒu bànfǎ bǎ tā ná qǐlái. Tā gǎnjué jiù xiàng shì yígè xiǎo chóngzi xiǎng yào bān dòng yí kuài dà shítou. Tā guì zài Guānyīn miànqián shuō: "Duìbùqǐ, nín de túdì bùnéng ná qǐ zhège huāpíng."

"Hóuzi, rúguǒ nǐ yígè xiǎo huāpíng dōu bùnéng ná qǐ, nǐ zěnme kěnéng hé qiángdà de yāoguài zhàndòu?"

"Wǒ bù zhīdào. Kěnéng wǒ bèi shāoshāng le, ràng wǒ jīntiān biàn

说。她抓起一个白色的瓷[53]花瓶，扔进大海。几秒[54]钟后，花瓶又回来了。它停在一只大黑乌龟[55]的背上。乌龟走出水面，向观音点头二十四次，意思是他正向她鞠躬二十四次。花瓶从乌龟的背上滑落[56]到地面上。然后乌龟回到了大海。

“悟空，去拿那个花瓶给我，”她说。孙悟空想把它拿起来，但他没有办法把它拿起来。他感觉就像是一个小虫子想要搬动一块大石头。他跪在观音面前说：“对不起，您的徒弟不能拿起这个花瓶。”

“猴子，如果你一个小花瓶都不能拿起，你怎么可能和强大的妖怪战斗？”

“我不知道。可能我被烧伤了，让我今天变

---

[53] 瓷 cí – porcelain
[54] 秒 miǎo – second
[55] 乌龟 wūguī – tortoise
[56] 滑落 huáluò – to slide

de xūruò le."

"Yìbān shuō, zhège huāpíng shì kōng de, jīhū méiyǒu zhòngliàng. Dànshì, dāng wǒ bǎ tā rēng dào hǎi zhōng shí, tā yóu zǒu shìjiè, zǒuguò le shìjiè shàng suǒyǒu de dà hǎi hé héliú, ná le yì hǎi de shuǐ. Nǐ kěnéng hěn qiángdà, dàn jiùshì nǐ yě méiyǒu bànfǎ ná qǐ yígè dàhǎi." Ránhòu tā xiàng xià ná qǐ huāpíng, jiù xiàng ná qǐ yí shù chūntiān de huāduǒ yíyàng róngyì.

"Wùkōng, wǒ huāpíng lǐ de shuǐ bú xiàng lóngwáng dài lái de yǔ. Zhè shuǐ kěyǐ miè le Sānmèi huǒ. Wǒ yào nǐ názhe tā, dàn wǒ pà nǐ huì tōu le tā. Nǐ bìxū liú xià shénme dōngxi gěi wǒ, zhèyàng wǒ jiù zhīdào nǐ wánchéng hòu huì bǎ huāpíng huán huílái."

"Púsà, wǒ méiyǒu dōngxi gěi nín. Wǒ de yīfu shì jiù de, bù zhíqián. Wǒ de bàng guìzhòng, dàn wǒ xūyào yòng tā lái hé yāoguài zhàndòu. Wǒ hěn yuànyì gěi nín wǒ de tóu dài, dànshì wǒ bùnéng bǎ tā cóng wǒ de tóu shàng tuō xiàlái, zàishuō, wǒ

得虚弱[57]了。”

“一般说，这个花瓶是空的，几乎没有重量[58]。但是，当我把它扔到海中时，它游走世界，走过了世界上所有的大海和河流，拿了一海的水。你可能很强大，但就是你也没有办法拿起一个大海。”然后她向下拿起花瓶，就像拿起一束春天的花朵一样容易。

“悟空，我花瓶里的水不像龙王带来的雨。这水可以灭了三昧火。我要你拿着它，但我怕你会偷了它。你必须留下什么东西给我，这样我就知道你完成后会把花瓶还回来。”

“菩萨，我没有东西给您。我的衣服是旧的，不值钱[59]。我的棒贵重，但我需要用它来和妖怪战斗。我很愿意给您我的头带，但是我不能把它从我的头上脱下来，再说，我

---

[57] 虚弱 xūruò – weak
[58] 重量 zhòngliàng – weight
[59] 不值钱 bù zhíqián – worthless

rènwéi nín bú huì ràng wǒ bú dài tā de.

"Hǎo ba, nǐ shì cōngming de hóuzi. Wǒ huì hé nǐ yìqǐ qù. Wǒmen zǒu ba. Nǐ xiān zǒu."

"Nín de túdì bù gǎn xiān zǒu. Wǒmen yào zài dàfēng zhōng xíngzǒu. Wǒ de yīfu kěnéng huì chuī qǐlái, wǒ bùxiǎng yīnwèi ràng nín kàn dào wǒ de shēntǐ duì nín bù zūnjìng."

Guānyīn xiào le. Tā ràng Sūn Wùkōng tiào jìn yì duǒ piào zài shuǐmiàn shàng de dà liánhuā. Ránhòu tā zài huā shàng chuī le yì kǒu qì, zhè huā hěn kuài jiù guò le hǎishuǐ. Guānyīn jiào le tā de yígè túdì Mùchā, gàosù tā qù tiānshàng jiè Xīngzuò Jiàn. Mùchā qù le, bùjiǔ hòu dàizhe jiàn huílái le. Guānyīn bǎ suǒyǒu de jiàn dōu rēng xiàng kōngzhōng. Dāng tāmen xiàlái shí, tāmen biàn chéng le yí duǒ dà liánhuā, yǒu yìqiān piàn huābàn. Guānyīn zuò zài liánhuā shàng. Ránhòu, tā hé Sūn Wùkōng yìqǐ fēi qù jiàn le Shā, Shā zhèngzài Huǒ Dòng biān xiǎo xī de duìmiàn děngzhe.

认为您不会让我不戴它的。

“好吧，你是聪明的猴子。我会和你一起去。我们走吧。你先走。”

“您的徒弟不敢先走。我们要在大风中行走。我的衣服可能会吹起来，我不想因为让您看到我的身体对您不尊敬。”

观音笑了。她让孙悟空跳进一朵漂在水面上的大莲[60]花。然后她在花上吹了一口气，这花很快就过了海水。观音叫了她的一个徒弟木叉，告诉他去天上借星座剑。 木叉去了，不久后带着剑回来了。观音把所有的剑都扔向空中。当他们下来时，他们变成了一朵大莲花，有一千片花瓣[61]。观音坐在莲花上。然后，她和孙悟空一起飞去见了沙，沙正在火洞边小溪的对面等着。

---

[60] 莲　　lián – lotus
[61] 花瓣　huābàn – petal

Guānyīn zuò le qídǎo, suǒyǒu de shānshén hé tǔdì shén dōu mǎshàng lái dào tā de miànqián. Tā shuō: "Qù, suǒyǒu rén. Zài zhè sānbǎi lǐ de dìfāng zhǎodào měi zhǐ dòngwù, měi zhǐ niǎo hé měi zhǐ chóng. Bǎ tāmen dài dào hěn yuǎn hěn ānquán de dìfāng." Dāng tāmen zhèyàng zuò shí, tā děngzhe.

Ránhòu Guānyīn bǎ huāpíng dǎo guòlái. Hóngliú yíyàng de shuǐ cóng huāpíng lǐ chūlái. Shuǐ xiàng pùbù yíyàng liú chūlái. Tā liúguò shānlǐ suǒyǒu dìfāng, shuǐ gài zhù le suǒyǒu dōngxi, bǎ zhè dìfāng biàn chéng le yípiàn dàhǎi, kàn qǐlái jiù xiàng nánhǎi yíyàng. Ránhòu tā dà hǎn: "Wùkōng, bǎ nǐ de shǒu gěi wǒ." Tā ná chū tā de shǒu. Tā yòng liǔ shùzhī zài tā de shǒu shàng xiě xià le "Mí" zì. "Xiànzài qù hé yāoguài zhàndòu. Dànshì búyào yíng. Nǐ bìxū shū. Ràng tā zhuī nǐ huí dào zhèlǐ. Wǒ huì děngzhe."

Sūn Wùkōng pǎo dào dòng de shímén qián.
"Kāimén!" Tā hǎn

观音做了祈祷，所有的山神和土地神都马上来到她的面前。她说："去，所有人。在这三百里的地方找到每只动物，每只鸟和每只虫。把它们带到很远很安全的地方。"当他们这样做时，她等着。

然后观音把花瓶倒过来。洪流[62]一样的水从花瓶里出来。水像瀑布一样流出来。它流过山里所有地方，水盖住了所有东西，把这地方变成了一片大海，看起来就像南海一样。然后她大喊："悟空，把你的手给我。"他拿出他的手。她用柳树枝在他的手上写下了"迷[63]"字。"现在去和妖怪战斗。但是不要赢。你必须输。让他追[64]你回到这里。我会等着。"

孙悟空跑到洞的石门前。"开门！"他喊

---

[62] 洪流 hóngliú – torrent
[63] 迷 mí - confusion
[64] 追 zhuī – to chase

dào. Hóng Hái'ér zài shāndòng lǐ, dànshì tā bù huídá Sūn Wùkōng de jiàohǎn. Sūn Wùkōng yòng tā de bàng dǎ mén, huǐhuài tā. Hóng Hái'ér cóng shāndòng lǐ pǎo chūlái. Sūn Wùkōng duì tā shuō: "Nǐ shì yígè kěpà de érzi. Nǐ bǎ zìjǐ de bàba gǎn zǒu le. Nǐ yīnggāi shòudào shénme chéngfá?"

Zhè ràng Hóng Hái'ér fēicháng fēicháng shēngqì. Tāmen kāishǐ zhàndòu. Dànshì, Sūn Wùkōng méiyǒu xiǎng yào yíng zhè chǎng zhàndòu. Tā bù tíng de xiàng hòu zǒu, bǎ Hóng Hái'ér cóng shāndòng dài xiàng Guānyīn. Hóng Hái'ér dà hǎn: "Nǐ wèishéme dǎ dé zhème chà? Wǒmen shàng yícì zhàndòu shí, nǐ zuò dé hǎoduō le."

Sūn Wùkōng dà hǎn: "Wǒ pà nǐ de huǒ. Guòlái zhuā wǒ ba!" Ránhòu tā dǎkāi shǒu, gěi yāoguài kàn "Mí" zì. Xiànzài, yāoguài de tóunǎo bù qīngchǔ le. Tā zhǐ xiǎng yí jiàn shì: zhuī Sūn Wùkōng. Hóuzi xiàng jiàn yíyàng kuài de pǎo kāi, yāoguài jǐn gēn zài hòumiàn.

道。红孩儿在山洞里，但是他不回答孙悟空的叫喊。孙悟空用他的棒打门，毁坏它。红孩儿从山洞里跑出来。孙悟空对他说："你是一个可怕的儿子。你把自己的爸爸赶走了。你应该受到什么惩罚？"

这让红孩儿非常非常生气。他们开始战斗。但是，孙悟空没有想要赢这场战斗。他不停地向后走，把红孩儿从山洞带向观音。红孩儿大喊："你为什么打得这么差？我们上一次战斗时，你做得好多了。"

孙悟空大喊："我怕你的火。过来抓我吧！"然后他打开手，给妖怪看"迷"字。现在，妖怪的头脑[65]不清楚了。他只想一件事：追孙悟空。猴子像箭一样快地跑开，妖怪紧跟在后面。

[65] 头脑　　tóunǎo – mind

Tāmen lái dào le Guānyīn děngzhe de dìfāng. Sūn Wùkōng shuō: "Nǐ yìzhí zhuīzhe wǒ dào le púsà Guānyīn de jiā, nánhǎi. Nǐ zěnme hái zài zhuī wǒ?" Ránhòu tā pǎo dào Guānyīn de hòumiàn, bújiàn le. Hóng Hái'ér bǎ máo cì xiàng Guānyīn, dàn tā mǎshàng biàn chéng le yí shù guāng, yě bújiàn le.

Xiànzài, Hóng Hái'ér yígè rén zhàn zài nàlǐ. Tā dà hǎn: "Bèn hóuzi, nǐ bùnéng dǎ yíng wǒ, suǒyǐ nǐ táozǒu le. Nǐ de nǚ péngyǒu yě yǐjīng táozǒu le. Dànshì tā liú xià le zhè duǒ piàoliang de liánhuā. Wǒ xiǎng wǒ huì zuò zài shàngmiàn fàngsōng yíxià." Tā pán shǒu pán jiǎo zuò zài liánhuā zhōngjiān.

Zhè jiùshì Guānyīn yào děng de zhè yíkè. Tā yòng liǔ shùzhī xiàng xià zhǐ, jiào le yìshēng: "Tuì!" Liánhuā bú jiàn le, xiànzài Hóng Hái'ér zhèng zuò zài Xīngzuò Jiàn jiān shàng. Guānyīn duì Mùchā shuō: "Yòng nǐ de chuízi dǎ zhè bǎ jiàn!" Mùchā kāishǐ yòng chuízi dǎ jiàn de bǎshǒu. Měi cì tā dǎ jiàn de bǎshǒu shí,

他们来到了观音等着的地方。孙悟空说："你一直追着我到了菩萨观音的家，南海。你怎么还在追我？"然后他跑到观音的后面，不见了。红孩儿把矛刺向观音，但她马上变成了一束光，也不见了。

现在，红孩儿一个人站在那里。他大喊："笨猴子，你不能打赢我，所以你逃走了。你的女朋友也已经逃走了。但是她留下了这朵漂亮的莲花。我想我会坐在上面放松一下。"他盘[66]手盘脚坐在莲花中间。

这就是观音要等的这一刻。她用柳树枝向下指，叫了一声："退[67]！"莲花不见了，现在红孩儿正坐在星座剑尖上。观音对木叉说："用你的锤子打这把剑！"木叉开始用锤子打剑的把手。每次他打剑的把手时，

---

[66] 盘 pán – cross (leg / arm)
[67] 退 tuì – retreat

tā dōuhuì shēnrù dào Hóng Hái'ér de shēntǐ. Xuě kāishǐ cóng tā shēntǐ de jǐ shí gè dòng zhōng liúchū.

"Tíng xià." Guānyīn duì Mùchā shuō. Ránhòu tā niàn le lìng yígè mó yǔ. Jiàn biàn chéng le dà gōu, xiàng láng yá yíyàng jiān. Xiànzài, Hóng Hái'ér méiyǒu bànfǎ ràng zìjǐ táolí. Tā duì Guānyīn shuō: "Púsà, zhège bèn yāoguài yǒu yǎnjīng, dàn tā kàn bújiàn. Xiànzài, wǒ kàn dào le nín de qiángdà. Qǐng ràng wǒ huózhe. Wǒ zài yě bú huì shānghài lìng yígè shēngwù le . Wǒ huì gēnzhe nín, tīng nín de shuōjiào."

Guānyīn duì tā shuō: "Nǐ xiǎng gēnzhe wǒ ma?"

"Rúguǒ nín ràng wǒ huózhe, wǒ yuànyì jìnrù nín de jiào mén." Guānyīn cóng tā de xiùzi shàng ná chū yì bǎ jīn tìdāo, chú le sān xiǎo cù tóufǎ, tā tì diào le Hóng Hái'ér de suǒyǒu tóufǎ. Ránhòu tā yòng shǒuzhǐ zhǐzhe, jiào le yìshēng: "Tuì!" Jiàn diào zài dìshàng, Hóng Hái'ér suǒyǒu de shāng dōu bú

它都会深入到红孩儿的身体。血开始从他身体的几十个洞中流出。

“停下。”观音对木叉说。然后她念了另一个魔语。剑变成了大钩[68]，像狼牙一样尖。现在，红孩儿没有办法让自己逃离。他对观音说：“菩萨，这个笨妖怪有眼睛，但他看不见。现在，我看到了您的强大。请让我活着。我再也不会伤害另一个生物了。我会跟着您，听您的说教。”

观音对他说：“你想跟着我吗？”

“如果您让我活着，我愿意进入您的教门。”观音从她的袖子上拿出一把金剃刀，除了三小簇[69]头发，她剃掉了红孩儿的所有头发。然后她用手指指着，叫了一声：“退！”剑掉在地上，红孩儿所有的伤都不

[68] 钩 gōu – hook
[69] 簇 cù – (measure word for cluster)

jiàn le.

Hóng Hái'ér kàn dào tā de shāng bújiàn le, tā mǎshàng zhàn qǐlái shuō: "Nǐ piàn le wǒ! Nàxiē búshì zhēn de jiàn, wǒ méiyǒu rènhé zhēn de shāng. Wǒ bú huì gēnzhe nǐ. Zhǔnbèi kàn wǒ de cháng máo!"

Sūn Wùkōng zhèng yào yòng tā de bàng dǎ yāoguài, dàn Guānyīn ràng tā děngděng. Ránhòu tā cóng xiùzi lǐ ná chū yígè jīn tóu dài. Tā shuō: "Zhè bǎobèi yǐqián shì fózǔ de. Tā gěi le wǒ sān gè jīn tóu dài. Yígè zài Sūn Wùkōng de tóu shàng. Lìng yígè zài wǒjiā hù shān rén de tóu shàng. Xiànzài wǒ zhīdào dì sān gè zěnme yòng le." Tā bǎ tóu dài rēng dào kōngzhōng, jiào le yì shēng: "Biàn!" Tā biàn chéng le wǔ gè gū. Yígè tào zài yāoguài de tóu shàng, liǎng gè tào zài tā de shǒubì shàng, liǎng gè tào zài tā de tuǐ shàng. Wǔ gè tóu dài dōu bǎng zhù le tā. Ránhòu Guānyīn niàn le jǐn tóu dài yǔ, suǒyǒu wǔ gè dài dōu shēnrù dào tā de ròu zhōng, biàn de yòu xiǎo yòu jǐn. Hóng Hái'ér dǎo zài dìshàng, tòngkǔ de kū le . Tā zàicì dà hǎn: "Bì!" Tā de liǎng zhī shǒu fàng zài

见了。

红孩儿看到他的伤不见了，他马上站起来说："你骗了我！那些不是真的剑，我没有任何真的伤。我不会跟着你。准备看我的长矛！"

孙悟空正要用他的棒打妖怪，但观音让他等等。然后她从袖子里拿出一个金头带。她说："这宝贝以前是佛祖的。他给了我三个金头带。一个在孙悟空的头上。另一个在我家护山人的头上。现在我知道第三个怎么用了。"她把头带扔到空中，叫了一声："变！"它变成了五个箍。一个套在妖怪的头上，两个套在他的手臂上，两个套在他的腿上。五个头带都绑住了他。然后观音念了紧头带语，所有五个带都深入到他的肉中，变得又小又紧。红孩儿倒在地上，痛苦地哭了。她再次大喊："闭！"他的两只手放在

yìqǐ, hǎoxiàng zài qídǎo. Tā yìdiǎn yě bùnéng dòng. Tā zhǐdé kòutóu.

Guānyīn duì Sūn Wùkōng shuō: "Wǒ rènwéi zhège nánhái xūyào shàng yí kè. Wǒ huì dài tā yílù zǒu dào Pǔtuóluòjiā Shān. Tā de měi yí bù bìxū kòutóu. Kěnéng nà huì jiāo gěi tā yìxiē dōngxi. Xiànzài, nǐ bìxū huí Huǒ Dòng, jiù nǐ de shīfu hé dìdi." Sūn Wùkōng xiàng tā jūgōng, zhuǎnshēn líkāi.

Zhège shíhòu, Shā sēng hé xínglǐ, mǎ yìqǐ zhèng děngzhe. Tā yǐjīng děng le hěnjiǔ le. Zuìhòu, tā ná qǐ xínglǐ, kāishǐ dàizhe mǎ xiàng nán zǒu qù. Tā zài lùshàng yù dào le Sūn Wùkōng. Sūn Wùkōng gàosù tā fāshēng de yíqiè, ránhòu shuō: "Wǒmen qù jiù shīfu hé Zhū."

Tāmen huí dào le Huǒ Dòng, pǎo guò mén dào, shā sǐ le nàlǐ suǒyǒu de xiǎo móguǐ. Tāmen fāxiàn Zhū hái bèi diào zài pí dài lǐ. Tāmen dǎkāi dàizi, fàng le tā. Zhū cóng dài lǐ diào le xiàlái.

一起，好像在祈祷。他一点也不能动。他只得叩头。

观音对孙悟空说："我认为这个男孩需要上一课。我会带他一路走到普陀落伽山。他的每一步[70]必须叩头。可能那会教给他一些东西。现在，你必须回火洞，救你的师父和弟弟。"孙悟空向她鞠躬，转身离开。

这个时候，沙僧和行李、马一起正等着。他已经等了很久了。最后，他拿起行李，开始带着马向南走去。他在路上遇到了孙悟空。孙悟空告诉他发生的一切，然后说："我们去救师父和猪。"

他们回到了火洞，跑过门道，杀死了那里所有的小魔鬼。他们发现猪还被吊在皮袋里。他们打开袋子，放了他。猪从袋里掉了下来。

---

[70] 步　　bù – step

Tā tiào qǐlái dà hǎn: "Nàge kěwù de yāoguài zài nǎlǐ? Wǒ xiǎng ràng tā shì shì wǒ de bà!"

"Yāoguài yǐjīng qù le Pǔtuóluòjiā Shān, hé Guānyīn yìqǐ xuéxí," Sūn Wùkōng huídá. "Dàn wǒ xiǎng tā huì xūyào hěn cháng shíjiān cáinéng dào nàlǐ."

Ránhòu sān gè túdì zhǎo Tángsēng. Tāmen kàn le shāndòng de sìzhōu, dàn zhǎo bú dào tā. Ránhòu tāmen qù le shāndòng de hòumiàn, fāxiàn le yígè dà fángjiān. Tángsēng bèi bǎng zài fángjiān de zhōngjiān. Tā méiyǒu chuān yīfu, tā zài kū. Tāmen yě fàng le tā.

Tángsēng gǎnxiè tāmen, shuō: "Túdìmen, nǐmen xīnkǔ le! Yāoguài zěnme le?" Sūn Wùkōng gěi tā jiǎng le gùshì. Zài gùshì de zuìhòu, tā jiǎng le Guānyīn shì zěnme lái de, yíng le zhège yāoguài, ràng tā chéng le tā túdì zhōng de yígè. Tángsēng xiàng nán guì xià jūgōng.

他跳起来大喊："那个可恶的妖怪在哪里？我想让他试试我的耙！"

"妖怪已经去了普陀落伽山，和观音一起学习，"孙悟空回答。"但我想他会需要很长时间才能到那里。"

然后三个徒弟找唐僧。他们看了山洞的四周，但找不到他。然后他们去了山洞的后面，发现了一个大房间。唐僧被绑在房间的中间。他没有穿衣服，他在哭。他们也放了他。

唐僧感谢他们，说："徒弟们，你们辛苦[71]了！妖怪怎么了？"孙悟空给他讲了故事。在故事的最后，他讲了观音是怎么来的，赢了这个妖怪，让他成了她徒弟中的一个。唐僧向南跪下鞠躬。

---

[71] 辛苦 xīnkǔ – to work hard

"Búyòng xiè tā," Sūn Wùkōng shuō, "Wǒmen gěi le tā yígè xīn de túdì!"

Guānyīn de xīn túdì Hóng Hái'ér mànman de dào le Pǔtuóluòjiā Shān. Nà shì yíduàn cháng cháng de lǚtú. Měi zǒu yí bù, tā tíng xiàlái, guì zài dìshàng, ránhòu xiàng nán kòutóu. Zài zhè duàn cháng cháng de lǚtú zhōng, tā xuéhuì le zěnme fàng kāi, bù shēngqì. Hòulái, tā chéngwéi Guānyīn zuì qiánchéng de túdì zhī yī, qǔ le fójiào míngzì Shàncái, yìsi shì "cáifù zhīzǐ." Tā xíngzǒu shìjiè, zhǎo wùxìng, yùjiàn wǔshísān wèi lǎoshī. Tā de yí wèi lǎoshī shì fózǔ, tā ràng Shàncái kàn dào le suǒyǒu de tiāntáng shìjiè. Shàncái zài fójiào, dàojiào hé mínjiān gùshì zhōng fēicháng yǒumíng.

Duì Tángsēng hé tā de sān gè túdì lái shuō, tāmen de wèntí yìtiān jiù jiějué le. Tāmen kàn le dòng de sìzhōu, fāxiàn le yì

"不用谢她，" 孙悟空说，"我们给了她一个新的徒弟！"

观音的新徒弟红孩儿慢慢地到了普陀落伽山。那是一段长长的旅途。每走一步，他停下来，跪在地上，然后向南叩头。在这段长长的旅途中，他学会了怎么放开，不生气。后来，他成为观音最虔诚[72]的徒弟之一，取了佛教名字善财，意思是"财富之子。"他行走世界，找悟性，遇见五十三位老师。他的一位老师是佛祖，他让善财看到了所有的天堂世界。善财在佛教，道教和民间[73]故事中非常有名[74]。

对唐僧和他的三个徒弟来说，他们的问题一天就解决了。他们看了洞的四周，发现了一

---

[72] 虔诚　　qiánchéng – devotion, piety
[73] 民间　　mínjiān – folk tale
[74] Shancai is also known by his Hindu name Sudhana. His story is told in the *Avatamsaka Sutra*, as well as the 18th century Chinese book *Precious Scroll of Shancai and Longnü*.

xiē mǐfàn hé cài, zuò le jiǎndān de wǎnfàn. Nàtiān wǎnshàng, tāmen shuì zài Huǒ Dòng zhōng, dì èr tiān, tāmen jìxù xīxíng.

些米饭和菜，做了简单的晚饭。那天晚上，他们睡在火洞中，第二天，他们继续西行。

THE CAVE OF FIRE

Tanseng and his three disciples left Black Rooster Kingdom and continued on their journey. Their minds were on the teachings of Buddha and their goal was Thunderclap Mountain, far away in India. Winter was coming, the air was cool, and they could hear the wind blowing softly through the green bamboo trees.

Two weeks after leaving Black Rooster Kingdom, they arrived at a tall mountain. Tangseng said, "Be careful, I am afraid a dangerous creature or monster lives here." The path led them up the mountain. They heard animals in the forest but could not see them.

They continued on the path, climbing the mountain. Suddenly they saw a dark red cloud rising up from the mountain ahead of them. As they watched, the cloud became a bright red fireball. Sun Wukong pulled Tangseng down from his horse, saying, "Be careful, Master, a monster is coming!" The three disciples surrounded their master, holding their weapons. The monkey king Sun Wukong held his golden hoop rod, the pig-man Zhu Wuneng held his rake, and the quiet but powerful Sha Wujing held his staff. They waited for the monster to approach.

There was indeed a monster inside the red fireball. His name was Red Boy and he lived in the mountain. Several years earlier he had heard people talking of the Tang monk who was traveling west to India. He heard that anyone who tasted the flesh of the Tang monk would achieve immortality. So when Red Boy saw the monk arrive, he knew that he wanted to kill and eat the monk.

The monster thought, "The monk looks very tasty, but those three disciples look dangerous. I do not want to fight all of them." Using his powerful magic, he changed his appearance so he looked like a small boy around seven years old. He tied himself up with rope and hung himself upside down from a tree. Then he started shouting, "Help me! Help me!"

Sun Wukong, the elder disciple, saw the red cloud disappear. "It's ok to continue," he said to the others. "I think there was a monster in the red cloud, but I don't see him anymore. He was probably just passing by."

Zhu laughed and said, "Elder brother, I did not know that monsters would just pass by!"

"Of course. Perhaps a demon king is having a festival, and he wants to invite all the local monsters to come. So of course he would send out invitations. Those monsters would not care about harming people like us, they would just be passing by on their way to the festival."

Zhu laughed again but did not reply. They continued on the path. Soon they heard the boy crying for help. Sun Wukong knew that his master would want to stop and help. He said, "Master, we are in a dangerous place. We should not stop. Mind your own business."

Tangseng wanted to stop, but he agreed to keep moving. But the shouting continued. Finally Tangseng said,

"Listen to that boy crying. If it was a demon or a monster, there would be no echo. I know that I heard an echo. Let's stop and help him."

"Please, master," said Sun Wukong, "put away your kindness until we have passed over this mountain. You know that any creature can become an evil spirit. They call you. If you answer, the spirit takes your soul!"

They continued walking, and they came to a place where they could see the little boy hanging upside down in a tree. Tangseng became angry. He shouted at Sun Wukong, "You trouble-making ape. You were just trying to frighten me! Look at that poor boy. He needs our help!" Sun Wukong did not reply, because he was afraid that Tangseng would recite the Tight Headband Spell and cause him great pain.

Tangseng said to the boy, "Where do you come from, boy? Why are you hanging from this tree?"

The demon began to cry. He said, "Oh Master, please help me. My family lives in a village just west of this mountain. My grandfather's name was Red. He was very wealthy, so people called him Red Millions. When he died, the fortune passed to my father. My father was a good man but he was a poor businessman. He lost most of the money, so people called him Red Thousands. He owed money to some bad people. The bad people came, they burned our house and killed my father. As they carried my mother away, she begged them not to kill me, so they tied me up and hung me from this tree. Please save my life so I can return home. I will do anything you ask, to repay your kindness."

Tangseng could not see that this boy was really a demon. He told Zhu to cut the ropes. But Sun Wukong shouted, "You monster! I recognize you. Don't think that you can fool me. If your story is true, then you have no home and no family. But you say that we should return you to your family. Your story does not add up."

The monster was frightened by this, because he realized that Sun Wukong could see his true form and could also see through his lies. But he said to Tangseng, "Master, it is true that my parents are gone. But I have other relatives. My mother's family lives south of this mountain, and I have several relatives in different villages. Please save my life. I will tell them of your kindness and they will be happy to repay you."

Zhu pushed Sun Wukong aside, saying "Elder brother, can't you see this is just a child? We should help him." Zhu cut the ropes and freed the little monster. Tangseng told Sun Wukong to carry him.

When Sun Wukong picked up the little monster, he found that the boy weighed just a few catties. He said to the monster, "You don't fool me for a minute. I know who you are. But tell me, little monster, why do you weigh so little?"

"I didn't get enough milk when I was a baby," the monster replied.

Sun Wukong laughed and said, "All right, I'll carry you. But tell me if you need to piss."

They walked silently for a while, then Sun Wukong began to talk quietly to himself, saying, "It's difficult enough to climb this mountain, but Master also wants me to carry this monster on my back. Why? I'm sure that the monster will cause trouble for us. I should just kill him now."

The monster heard Sun Wukong's thoughts. He took four deep breaths and blew onto the monkey's back. Immediately Sun Wukong felt as if he were carrying a thousand catties. Then the monster used his magic to leave his body and rise into the air.

Sun Wukong felt the heavy weight on his back. He became angry. He grabbed the monster and threw him down hard on the ground, killing him. But of course he only killed the body that the monster had created. The spirit of the monster was still alive.

Then, the monster created a huge storm. The sky turned black as night. The wind pulled trees out of the ground. It moved huge rocks. Streams became rivers, and rivers became oceans. The three disciples hid on the ground and covered their heads. When Red Boy saw that, he came down, grabbed Tangseng, and flew away.

When the wind stopped, the three disciples stood up and looked around. Their luggage was on the ground. Tangseng's white horse was still there, but the monk was gone. "Where is Master?" asked Sha Wujing. Nobody knew. The three disciples just stood there, not knowing what to do.

Sun Wukong finally said, "Brothers, we must work together. We must pick up the luggage, climb this mountain, and save our Master."

They climbed for seventy miles, crossing rivers and deep valleys. They did not see any animals or birds at all. Sun Wukong became worried. He jumped into the air, shouting, "Change!" He now had three heads and six arms. Using three Golden Hoop Rods, he began to smash trees and rocks all around. Zhu said to Sha, "My brother, this is bad. Sun Wukong has lost his mind."

Soon, a large group of deities arrived. They were dressed in old dirty clothes and they looked hungry. One of them said to Sun Wukong, "Great sage, the mountain gods and the local spirits are here to see you!"

Sun Wukong looked at them and said, "Why are there so many of you?"

"Great sage," he replied, "this is Six Hundred Mile Mountain. So this side of the mountain is three hundred miles from bottom to top. Every ten miles there is one local spirit and one mountain god. So all together, we are thirty local spirits and thirty mountain gods. We heard yesterday that you were coming, but we needed time to gather together. Please forgive us for being late."

"All right, I forgive you," replied Sun Wukong. "Tell me,

how many monsters are on this mountain?"

"Ah, there is just one. And he has caused us great trouble. We have burned all of our incense and paper money, and used up all our food. "

"And where does this monster live?"

"He lives in the Cave of Fire. He has very powerful magic. Often he will grab one of us and make us into his servants. And his little demons come to us, demanding protection money."

"But you are immortals! You don't have any money."

"True, we have no money. So we cannot give money to the little demons. Instead, we give them deer meat and other gifts. But sometimes they don't like our gifts. Then they smash our temples and take our good clothing. We cannot live in peace. We ask the Great Sage to get rid of this monster for us, and save the creatures who live on this mountain!"

"And what is the name of this monster?"

"He is the son of the Bull Demon King. His powers are great indeed. He studied for three hundred years until he learned how to make the true fire of Samadhi. His father told him to come here and guard this mountain. His title is Great King Holy Child, but behind his back we all call him by his childhood name, Red Boy."

Sun Wukong was pleased to hear this. He thanked the

local spirits and mountain gods and told them to go home. Then he returned to Zhu and Sha and said, "Good news, my brothers. This monster is relative of old Monkey!"

Zhu laughed and said, "Elder Brother, that cannot be true. You grew up on Flower Fruit Mountain on the island of Aolai. That is ten thousand miles and two oceans away from here!"

"This monster is called Red Boy, and his father is Bull Demon King. Five hundred years ago when I was causing trouble in heaven, I traveled all around the world to find the great heroes of this world. I found six of them, and we formed a kind of family or alliance. The Bull Demon King was the most powerful of the six. He is my brother, and so I am an old uncle to this Red Boy. How could he harm his old uncle? Let's go and see him."

Sha laughed and said, "Elder brother, you know what the ancients say: 'three years away from my door, you are my relative no more.' You have not seen the Bull Demon King for more than five hundred years. You have not shared a cup of wine or given gifts at festival time. Why would Red Boy think of you as his uncle?"

"Well, the ancients also say, 'if the leaf can flow to the ocean, where would people not meet as they come and go?' Yes, it's been a long time. Maybe he won't give us a great feast. But at the very least, he should return Master to us."

They traveled night and day, covering a hundred miles. Finally they came to a pine forest with a cold stream running through it. On the other side of the stream was a cliff. At the base of the cliff was a large cave with a heavy stone door. Sun Wukong told Sha to stay and watch the horse and the luggage, while he and Zhu headed to the cave to search for Tangseng.

When they arrived at the Cave of Fire, they saw dozens of small demons standing front of the stone door. The demons were all holding swords. Sun Wukong shouted to them, "Quick, go and tell your master to give us the Tang monk. If you say even half a 'no' we will smash your cave and everyone in it. Now go!"

Inside the cave, Red Boy was sitting in his chair. Several other small demons were washing Tangseng, preparing him to be cooked and eaten. The soldier demons ran inside and told Red Boy that two ugly monks were standing outside wanting the Tang monk. "What do they look like?" asked Red Boy.

"One of them has a hairy face and a nose like a thunder god. The other one is also hairy, with long ears and a very long nose. They are both quite ugly."

"Ah, that must be Sun Wukong and Zhu Bajie," said Red Boy. He pointed to several small demons, saying, "You and you and you, get the carts and push them out the door. And spear you, get me my spear." One small demon gave Red Boy an eighteen-foot long fire-tipped spear. The others pushed five small wooden carts out the door.

Zhu saw this and said, "What's this? They are afraid of us, so they have decided to move out of their cave and go somewhere else?"

"No," replied Sun Wukong, "Look at where they put the carts." Zhu looked, and he saw that the five carts were placed in a pentagram shape, corresponding to the five phases of metal, wood, water, fire and earth. One small demon stood guard next to each cart.

Red Boy came out of the cave. What did he look like, you ask?

> His face white as snow,
> His lips red as blood,
> His hair black as night,
> His eyebrows like two moons carved by knives,
> The big man lifts up his spear.
> He walks out covered in bright light,
> He roars like thunder,
> His eyes glow like lightning,
> Call him Red Boy, the name of lasting fame.

"Who dares to make noise outside my cave?" he roared.

Sun Wukong smiled. "It's your old uncle! Why do you look like this? This morning you were just a small boy hanging from a tree. Do you remember, I carried you on my back. Now you want to repay my kindness with this? Stop playing around and give me my master. If you don't do that, I might have to talk with your father, and you wouldn't want that, would you?"

"What are you talking about, you ugly ape? You are no uncle of mine."

"Oh yes I am your uncle. I am Sun Wukong, the Great Sage Equal to Heaven. Five hundred years ago I caused great trouble in heaven. At that time I traveled all around the world, looking for the great heroes of the earth. I met your father, Bull Monster King and we became good friends. There were five others: the Dragon Monster King, the Eagle Monster King, the Lion Monster King, a female monkey king who called herself the Fair Wind Great Sage, and the Giant Ape Monster King. We seven became a family. This was long before you were born."

Red Boy did not reply. He didn't care that Sun Wukong was his uncle, but he remembered that Sun Wukong had tried to kill him earlier that morning. He tried to stab the monkey with his fire-tipped spear. Sun Wukong easily stepped aside, and tried to smash the monster with his rod. They fought for a long time. Each one wanted the Tang monk but for different reasons. Sun Wukong wanted to protect the monk, Red Boy wanted to eat the monk.

Zhu watched the battle for a while. Then he stepped forward and brought his rake down hard on Red Boy's head. Red Boy staggered, then he ran away as fast as he could. Zhu and Sun Wukong followed him. Red Boy ran to one of the carts. Then he punched himself in the nose! Zhu laughed and said, "Look at him, punching himself like that. I think he wants to make himself bleed, so he can go to a judge and sue us!"

Just then, Red Boy recited a magic spell. Fire and black smoke poured out of his mouth. The area around the cave became as hot as a brazier. Zhu said, "We'd better get out of here. I don't want to be cooked. That monster will want to eat me for dinner."

Sun Wukong jumped into the fire, using his magic to protect himself. He tried to find Red Boy, but there was too much smoke and he could not see anything. Red Boy and the little demons ran back into the cave and locked the stone door behind them.

Sun Wukong returned to the other side of the stream, where Zhu and Sha were waiting for him. He shouted at Zhu, "You idiot, why didn't you help me? I had to go into the fire all by myself, while you ran away to safety. I guess I will have to do all the fighting myself. Tell me, how is the monster's fighting ability compared to mine?"

"Not as good," said Zhu. Then the two of them started talking about different methods of fighting the monster and his Samadhi fire. They could not find a good way to fight Red Boy. After a few minutes, Sha Wujing started laughing.

"What are you laughing about?" asked Sun Wukong.

"You two are not thinking clearly," he replied. "Of course you are a better fighter than he is. But you cannot win because of the fire and smoke. But you have forgotten one important thing. Tell me, what overcomes fire?"

"You are right!" said Sun Wukong. "Water overcomes fire. I just need to find enough water to put out the monster's fire. Then it will be easy to win the fight against him, and we can rescue Master. You two stay here. I will go to the Great Eastern Ocean to talk with my old friend Auron, the Dragon King of Four Oceans. He will bring us water."

Old Monkey used his cloud somersault to travel quickly to the Great Eastern Ocean. Then he used his magic to open up a dry path through the water. A water spirit saw him and told Auron that the monkey king had arrived. A few minutes later, the Dragon King met Sun Wukong. He invited Sun Wukong to sit down with him and have some tea.

"No time for that, my old friend," said Sun Wukong. "I must talk with you about something that will cause you some trouble. I am traveling with my master. We are going to the Western Heaven to find the Buddha's books and bring them back to the Tang Empire. We met a monster named Red Boy. The monster captured my master. I am stronger than the monster and I am a better fighter. But the monster uses black smoke and hot fire. We cannot fight against this. So I came to ask you for some water. I ask you to bring heavy rain to put out the monster's fire. Then we can rescue the Tang monk."

"I am sorry my friend," replied the Dragon King. "I cannot help you."

"But you are Auron, the great Dragon King of the Four

Oceans. You make all the rain in the world. If I can't ask you, who can I ask?"

"It's true that I bring rain, but I cannot just make it rain anytime that I want. That is up to the Jade Emperor. He decides how many feet and inches of rain should fall, and the day and hour that it should come. He writes it down, and the document is sent to the North Star. Then I call the Thunder God, the Lightning Mother, the Wind Uncle, and the Cloud Boy, and together we make it rain."

"I don't need thunder, lightning, wind or clouds. Just a lot of rain."

"All right, then I can help you. But I will need help from my brothers." Then the Dragon King beat his great drum and hit his great bell. Soon three more dragons arrived: the Dragon King of the Southern Ocean, the Dragon King of the Western Ocean, and the Dragon King of the Northern Ocean. Sun Wukong told them about the problem, and they all agreed to help. We have a poem for this:

> The Dragon Kings of the four seas are happy to help,
> When the Great Sage Equal to Heaven asks for it.
> The great Tang monk meets trouble,
> These four bring water to put out the great red fire.

Sun Wukong and the four dragon kings traveled quickly back to the Cave of Fire. He said to them, "This is the cave of the demon. Please stay here and do not let anyone see you. I will go and fight with Red Boy. If I win, I will not need your help. If I lose, I will be dead and I will not need your help. But if he starts his fire and I ask you for help, please send the rain." The four dragon kings agreed.

Then the monkey ran up to the cave door and shouted, "Open the door!"

The stone door opened and Red Boy came out. Right behind him were five little demons, each one pushing a small cart. He said, "Why did you return? You must be a very stupid monkey. I have an idea for you: just forget about your master. We will eat him for dinner, and you can be on your way without him."

This made Sun Wukong very angry, and he tried to hit Red Boy with his rod. They began to fight again. They fought for a long time. Both of them fought well and neither could win. Finally Red Boy tried to hit Sun Wukong with his spear, then he quickly turned and punched himself twice, hard, on the nose. Fire and smoke poured out of his nose and mouth. More fire came from the five carts that surrounded him.

"Quick, Dragon Kings, send the rain now!" shouted Sun Wukong. It started to rain. At first the rain was light, like a morning mist. Then it rained harder, like a springtime shower. Then it rained even harder, like a summer thunderstorm. Harder and harder fell the rain. Water poured down the mountainsides like jade waterfalls. Rivers overflowed their banks, birds hid in the trees, and animals ran to high ground.

But the rain did not put out Red Boy's fire. This was because the rain was just ordinary rain. It was not sent by the Jade Emperor, and so it could not put out the Samadhi fire that Red Boy had made. The rain just made the fire bigger and hotter, like adding oil. Sun Wukong tried to walk into the fire to find Red Boy. The monster spat out a big cloud of black smoke at him. It was too much for Sun Wukong. He flew away with his body on fire. He dove into the cold mountain stream to put out the fire. But the cold water was too much for him, and he fainted.

The four Dragon Kings saw this, and they were terrified. They shouted at Zhu Bajie and Sha Wujing to come and help the Monkey King. The two disciples ran to the stream bank and looked in the water. They saw Sun Wukong floating on top of the water, face down, not moving. Sha jumped into the stream, picked him up, and carried him to the riverbank. His body was as cold as the stream water.

Sha thought he was dead, but Zhu said, "Don't worry, this old monkey has lived for a long time. I think he has seventy two lives. Let's wake him up." They sat him up, and Zhu began to massage him. After a few minutes the massage released his breath, and Sun Wukong opened his eyes. He blinked a few times, then he looked around. He saw Sha and Zhu, but he did not see the dragons.

"Brothers of the ocean, where are you?" he asked.

The four dragon kings replied, "Your little dragons are

here. We wait on you."

"I am sorry to have caused you all this trouble. But we have not won the fight. Please go home, I will thank you another day." The four dragon kings rose up into the air and flew away in four different directions.

Sun Wukong was feeling very tired, and his body hurt all over. He did not know what to do. Sha Wujing said, "Brothers, I remember that the Bodhisattva Guanyin told us that heaven would help us if we ever needed it. Well, now we need it. I wonder where we should go for help."

"This monster is very powerful," said Sun Wukong. "We must get help from someone who is more powerful than me. I think we must ask Guanyin herself for help. But I am feeling unwell and I don't think I can travel to the South Sea to meet her. Zhu, can you go instead of me?" Zhu agreed, and he flew south towards the South Sea to find Guanyin.

Inside the cave, Red Boy was resting with his little demons. "I wonder what those troublemakers are doing now?" he said to himself. He walked outside the cave and looked up in the sky. He saw Zhu Bajie flying south. He thought to himself, "That can only mean one thing: the pig-man is going to ask Guanyin for help. But I know a faster way to go." He flew out of the cave and took a shorter way to the South Sea. Then he came down to the ground, changed his appearance so that he looked like Guanyin, and waited for Zhu.

Zhu was flying south towards the South Sea. He looked down and saw Guanyin. Zhu could not tell the difference between true and not true, so he thought it was really Guanyin. He bowed low and said, "Bodhisattva, your disciple Zhu Wujing kowtows to you."

The monster said, "Why are you here, and not protecting your master?"

"We were traveling west. We met a powerful monster named Red Boy. The monster knows how to fight with hot fire and black smoke. Our elder disciple Sun Wukong fought with the monster but could not win. He was badly burned and he cannot move. He asked me to come and ask you to save our master."

"I don't think that Red Boy would hurt you or your master. Perhaps you said something to make him angry."

"I did not. But my elder brother tried to kill him, and I think that made the monster a little bit angry."

"I will be happy to help you, come with me," said the monster. Then he quickly pulled out a large leather bag, put it over Zhu, and pulled the rope tight so that Zhu could not escape. He carried Zhu back to his cave. He said, "I will keep you here for four or five days, then I will steam you and give you to my little demons to eat for dinner. I think you will taste very good with some red wine."

Across the stream, Sun Wukong and Sha were waiting for Zhu to return with Guanyin. They waited a long time.

As they were waiting, a bad-smelling wind blew past them. "This is a bad wind," said Sun Wukong. "I think that something bad has happened to Zhu." Even though he was in great pain, he ran up to the door of the cave and shouted, "It's Old Monkey again. Open the door!" A crowd of little demons came out of the cave. Sun Wukong was hurting too much to fight. So he changed into a small piece of cloth.

The demons saw the cloth and brought it back into the cave to show to Red Boy. "The monkey ran away," they said, "and he dropped this on the ground."

"It's not important," said Red Boy, "but maybe we can use it to mend some old clothing." They threw the cloth into a corner of the cave. Sun Wukong changed into a little insect. He flew around the cave. Soon he found Zhu tied up in the leather bag, talking to himself about all the terrible things he was planning to do to the monster and the little demons. Sun Wukong laughed to himself. But then he heard Red Boy say, "It's time to prepare the Tang monk for dinner. You six," and he pointed to six of the little demons, "go to my father the Bull Demon King. Invite him to come here for dinner. Tell him that if he eats the flesh of this monk, his life will be a thousand times longer."

The six little demons left the cave and started running southwest towards the home of the Bull Demon King. Sun Wukong said to himself, "So, they are going to visit my brother, the Bull Demon King. Our friendship was strong, but that was a long time ago. Now I am on the path of the Buddha, while he is still a demon. I still remember what he looks like. I will change my appearance to look like him, then we will see if I can fool Red Boy!"

He flew to a place about ten miles southwest from the cave. He changed his appearance so he looked like the Bull Demon King. Then he pulled some hairs from his head, said "Change!", and they turned into little sword-carrying demons. He pulled more hairs and turned them into dogs. Now it looked like the Bull Demon King was on a hunting party.

The six demons arrived and saw the Bull Demon King. They kowtowed and one of them said, "Father, we have been sent by your son, the Great King Holy Child. He invites you to come to his home and join him in eating the flesh of the Tang monk. Your life will be increased a thousandfold times longer."

Sun Wukong replied, "Please get up, children. I would be happy to go with you. Come with me back to my house so that I can put on better clothes for the dinner."

"Father, we beg you to please come with us without returning home. It is a long way to the cave, and we are afraid that our master will be unhappy with us if we return too late!"

"You are very good children!" said Sun Wukong. "All right, let's go." They returned to the Cave of Fire. Sun Wukong entered the cave and sat down at the seat of honor.

Red Boy said to him, "Father King, your child bows to you." Then he kowtowed four times.

Sun Wukong smiled and replied, "Thank you, but my child does not need to bow. Tell me, why did you invite me here?"

"Father, your child has no talent, but he did manage to capture a traveling monk. This monk has been studying the teachings of Buddha for ten lifetimes. Anyone who eats his flesh will achieve immortality. Your foolish son does not dare to eat this monk all by himself. So I invite you to join me, so you may have long life."

Sun Wukong asked, "My child, is this monk the master of the Monkey King, the Great Sage Equal to Heaven?"

"Yes, he is."

"My child, do not provoke him! You can provoke others, but not him. He has great power. Once when he was creating trouble in the Heavenly Palace, the Jade Emperor sent a hundred thousand soldiers to capture him, but they could not do it. And now you want to provoke him by eating his master? Don't do it! Let the monk go. If you don't, the monkey will use his golden hoop rod and smash you and your cave. Then you will die, and who will then take care of me when I am old?"

"Father, you talk of the great powers of this monkey, but what about the powers of your own son? I have already fought with this monkey, and his powers are no greater than mine. He was so frightened that he asked the four Dragon Kings for help. That did not work, of course. The monkey was nearly killed, and he has run away. Now we can relax and enjoy our dinner, so you may have long life without growing old."

"My boy, you do not know this monkey. He can change his appearance into anything. He can become very small, like an insect. He can become something very ordinary, like a piece of cloth. He can even change to look like a different person, like me! How would you recognize him?"

"Father, I have nearly killed him already. He would not dare to come back here."

"Well, my boy, it sounds like you are a great warrior, perhaps greater than the monkey. But unfortunately I cannot eat meat today. I am feeling old these days, so I have decided to become a vegetarian."

"Ah, that is interesting news. Are you a vegetarian every day?"

"No, only four days every month. Today is the last of those four days. Let's wait and eat the Tang monk tomorrow."

Red Boy heard this, and he thought to himself, "Something is strange. My father has lived for a thousand years by eating the flesh of people. Now he suddenly decides to become a vegetarian?" He walked out and said to one of his little demons, "Tell me, where did you find the Great King?"

"We were traveling to his home, and we met him on the way. He was hunting."

"Ah! I think that is not my father. It looks like him, but his words do not sound like his words. Be careful, all of you! I will go back and talk with him. If his words are not right, I will shout, and you all must attack him."

Red Boy returned to his father and said, "Your foolish son asked you to come here for two reasons. First of course, to invite you to eat the flesh of the Tang monk. But also, I have a question for you. Last week I was traveling in the Ninth Heaven and I ran into Master Zhang, the Daoist priest. He said that he would tell me about my future. To do that, he need to know the hour, date, month and year of my birth. I do not know this, so I am hoping you can tell me so that I can tell Master Zhang."

Sun Wukong was surprised by this, thinking to himself, "Ah, this is a very clever monster indeed!" He smiled and said to Red Boy, "My boy, I'm afraid that at my age I have forgotten many things. I do not remember when you were born. I will ask your mother when I return home tomorrow."

Immediately Red Boy knew that this was not his father, because his father was always telling him about the auspicious date and time of his birth. He shouted for the little demons to attack Sun Wukong. Sun Wukong changed into a beam of light and left the cave.

Red Boy did not try to chase after him. He was feeling a little bit uncomfortable because he had just told his little demons to attack someone who looked like his father. He waved his hand and said to the little demons, "All right, all right, just let him go. Wash the Tang monk and prepare him for cooking."

Sun Wukong crossed the stream and met up with Sha. He was laughing and said, "Brother, I have won a round against the monster. Our brother Zhu was captured and is inside the cave, trapped in a leather bag. I wanted to enter the cave, so I changed my appearance to look like the monster's father. The monster did not know it was me, so he kowtowed to me four times. That was a real pleasure!"

Sha replied, "Elder brother, I am afraid that your desire for small victories will stop us from rescuing our master."

Sun Wukong replied, "Don't worry, my friend. This small victory makes me forget about my pain! Now I will go to the South Sea to ask Guanyin to help us. You take care of the luggage and keep an eye on the horse while I'm gone." Then he used his cloud somersault to fly to Potalaka Mountain in the South Sea. He flew swiftly, arriving after only a half hour. He entered Guanyin's home and kowtowed to her.

Guanyin said, "Wukong, why are you here? You should

be leading your master to the Western Heaven."

The Monkey King replied, "Please let me tell you what happened. We were traveling west and came to a tall mountain. There we met a very clever monster called Red Boy. He grabbed my master and took him back to the Cave of Fire. Zhu Wujing and I fought against him, but he used powerful magic to send Samadhi fire and black smoke at us. We could not win the fight. I asked the Dragon King of the Four Oceans for help. He came with three other Dragon Kings. The four of them brought a lot of rain, but the rain did not put out the monster's fire. Your disciple was badly burned and almost died."

"If he has Samadhi fire, why did you go to the Dragon Kings? You should have asked me for help."

"I could not come because of my burns. I sent Zhu Wujing to ask you for help."

"He did not come here."

"Indeed he did not. The monster took your form and tricked Zhu. He captured Zhu in a leather bag and brought him back to the Cave of Fire. Now the monster has the Tang monk and Zhu in his cave. He plans to cook and eat both of them."

"How dare that monster take my form!" she said angrily. She grabbed a white porcelain vase and threw it into the ocean. A few seconds later the vase came back. It was riding on the back of a giant black tortoise. The tortoise walked out of the water and nodded its head twenty four times to Guanyin, to show that he was bowing to her twenty four times. The vase slid off the turtle's back and onto the ground. Then the turtle returned to the ocean.

"Wukong, go pick up that vase and give it to me," she said. Sun Wukong tried to pick it up but he could not lift it. He felt like an insect trying to move a large rock. He knelt before Guanyin and said, "I am sorry, but your disciple cannot pick up this vase."

"Monkey, if you cannot even pick up a small vase, how can you possibly fight against powerful monsters?"

"I do not know. Maybe my burns have made me weak today."

"Normally this vase is empty and weighs almost nothing. But when I threw it in the ocean, it traveled around the world, through all the oceans and rivers of the world, and picked up an oceanful of water. You may be strong, but even you cannot pick up an ocean." Then she reached down and picked up the vase, as easily as picking up a bunch of spring flowers.

"Wukong, the water in my vase is not like the rain brought by the Dragon Kings. This water can put out the Samadhi fire. I want you to take it, but I fear that you will steal it. You must leave something with me so I know you will return the vase when you are finished."

"Bodhisattva, I have nothing to give you. My clothing is old and worthless. My rod is valuable but I need it to fight against the monster. I would gladly give you my headband, but I cannot take it off my head, and anyway I think you will not allow me to be without it."

"All right, you clever monkey. I will go with you myself. Let's go. You go first."

"Your disciple dares not go first. We will be traveling in strong winds. My clothing might blow upwards, and I would not want to offend you by letting you see my body."

Guanyin laughed. She told Sun Wukong to jump into a large lotus flower that was floating on the water. Then she blew on the flower, and it traveled quickly across the water. Guanyin called one of her disciples, Moksha, and told him to go up to heaven and borrow the Swords of Constellations. Moksha went, and returned a short time later with the swords. Guanyin threw all the swords into the air. When they came down they formed a large lotus flower with a thousand petals. Guanyin sat on the lotus flower. Then she and Sun Wukong flew together to meet Sha, who was waiting across the stream from the Cave of Fire.

Guanyin recited a prayer, and immediately all the mountain gods and local spirits gathered in front of her. She said, "Go, all of you. Find every animal, every bird, and every insect within three hundred miles of here. Carry them far away, where they will be safe." She waited while they did this.

Then Guanyin turned the vase upside down. A torrent of water came from the vase. The water poured out like a waterfall. It flowed over the entire mountain, covering everything and turning the area into an vast ocean that looked exactly like the South Sea. Then she shouted, "Wukong, give me your hand." He held out his hand. She used a willow branch to write the word "delusion" on his hand. "Now go and fight the monster. But do not win the fight. You must lose. Make him chase you back here. I will be waiting."

Sun Wukong ran up to the stone door of the cave. "Open the door!" he shouted. Red Boy was inside the cave, but he ignored the shouting. Sun Wukong hit the door with his rod, smashing it. Red Boy came running out of the cave. Sun Wukong said to him, "You are a terrible son. You chased your own father away. What punishment should you receive?"

This made Red Boy very, very angry. They began to fight. Sun Wukong did not try to win the fight, though. He kept moving backwards, drawing Red Boy away from the cave and towards Guanyin. Red Boy shouted, "Why are you fighting so badly? The last time we fought, you did much better."

Sun Wukong shouted, "I am afraid of your fire. Come and get me!" Then he opened his fist and showed the word "delusion" to the monster. Now the monster's mind was clouded. He could only think of one thing: chasing and fighting Sun Wukong. The monkey ran away as fast as an arrow, with the monster close behind.

They arrived at the place where Guanyin was waiting. Sun Wukong said, "You have chased me all the way to the South Sea, the home of the Bodhisattva Guanyin. Why are you still chasing me?" Then he ran behind Guanyin and disappeared. Red Boy thrust his spear at Guanyin, but she immediately changed into a beam of light and also disappeared.

Now Red Boy was standing alone. He shouted, "Stupid monkey, you could not win a fight with me, so you have run away. And your lady friend has also run away. But she left behind this nice lotus flower. I think I will sit on it and relax for a while." And he sat down cross-legged in the middle of the lotus flower.

This was the moment that Guanyin was waiting for. She pointed her willow stick downward and cried, "Withdraw!" The lotus flower disappeared, and now Red Boy was sitting on the points of the Swords of Constellations. Guanyin said to Moksha, "strike the swords with your hammer!" Moksha began to hit the handles of the swords with his hammer. Each time he hit a sword handle, it went deep into Red Boy's body. Blood began to come out of dozens of holes in his body.

"Stop now," said Guanyin to Moksha. Then she recited another spell. The swords turned into large hooks, sharp as the teeth of wolves. Now Red Boy could not pull himself free. He said to Guanyin, "Bodhisattva, this foolish monster has eyes but he could not see. Now I see your great power. Please let me live. I will never hurt another creature again. I will follow you and your teachings."

Guanyin said to him, "You wish to follow me?"

"If you let me live, I am willing to enter the gate of your teachings." Guanyin took a golden razor from her sleeve, and she shaved off all of Red Boy's hair except for three little tufts of hair. Then she pointed with her finger and cried, "Withdraw!" The swords fell to the ground, and all of Red Boy's injuries disappeared.

As soon as Red Boy saw that his injuries were gone, he stood up and said, "You tricked me! Those were not real swords, and I did not have any real injuries. I will not follow you. Prepare to meet my spear!"

Sun Wukong was about to hit the monster with his rod, but Guanyin told him to wait. Then she took a golden headband from her sleeve. She said, "This treasure once belonged to the Buddha himself. He gave me three golden headbands. One is on the head of the Monkey King. The other is on the head of the guardian of my mountain home. And now I know what to do with the third one." She threw the headband in the air and cried, "Change!" It changed into five bands. One landed on the monster's head, two landed on his arms, and two on his legs. All five wrapped themselves around him. Then Guanyin recited the Tight Headband Spell, and all five bands became rooted in his flesh and became very small and tight. Red Boy fell to the ground and cried in pain. She cried again, "Close!" His two hands pressed together, as if he was in prayer. He could not move at all. He bowed his head in defeat.

Guanyin said to Sun Wukong, "I think this boy needs a lesson. I will have him walk all the way to Potalaka Mountain. He must kowtow with each step. Maybe that will teach him something. Now, you must return to the Cave of Fire to rescue your master and your younger brother." Sun Wukong bowed low to her, turned and left.

While this was happening, Sha Monk was waiting with the luggage and the horse. He had been waiting a long time. Finally he picked up the luggage and began walking with the horse towards the south. He met Sun Wukong on the road. Sun Wukong told him everything that had happened, then said, "Let's go rescue Master and Zhu."

They returned to the Cave of Fire, ran through the doorway, and killed all the little demons that were there. They found Zhu still hanging in a leather bag. They cut open the bag to free him. Zhu fell out of the bag onto the ground. He jumped up and shouted, "Where is that evil monster? I want to give him a taste of my rake!"

"The monster has gone to Potalaka Mountain to study with Guanyin," replied Sun Wukong. "But I think it will take him a long time to get there."

Then the three disciples searched for Tangseng. They looked all around the cave but could not find him. Then they went to the back of the cave and found a large room. Tangseng was tied up in the center of the room. He had no clothes on, and he was crying. They freed him also.

Tangseng thanked them and said, "Disciples, you have worked hard! What happened to the monster?" Sun Wukong told him the story. At the end of the story he described how Guanyin came, defeated the monster, and turned him into one of her disciples. Tangseng knelt down and bowed to the south.

"No need to thank her," said Sun Wukong, "We gave her a new disciple!"

Guanyin's new disciple Red Boy made his way, slowly, to Potalaka Mountain. It was a journey of many miles. After every step he stopped, knelt to the ground, and kowtowed to the south. During this long journey he learned how to let go of his anger. Later he became one of Guanyin's most devoted disciples, taking the Buddhist name Shancai which means "Child of Wealth." He traveled the world searching for enlightenment, meeting fifty three teachers. One of his teachers was the Buddha himself, who gave Shancai a vision of all the heavenly worlds. Shancai became famous in Buddhist, Taoist and folk tales .

As for Tangseng and his three disciples, their problems were finished for the day. They looked around the cave, found some rice and vegetables, and made a simple dinner. That night they slept in the Cave of Fire, and the next day they continued their journey to the west.

PROPER NOUNS

These are all the Chinese proper nouns used in this book.

Chinese	Pinyin	English
奥莱	Àolái	Aolai (a country)
敖闰	Áorùn	Aorun (name of the Dragon King of Four Oceans)
北极星	Běijíxīng	Polaris, the North Star
大猢狲魔王	Dà Húsūn Mówáng	Giant Ape Monster King
观音	Guānyīn	Guanyin (a Bodhisattva)
黑公鸡王国	Hēi Gōngjī Wángguó	Black Rooster Kingdom
红百万	Hóng Bǎi Wàn	Red Millions (a name)
红千	Hóng Qiān	Red Thousands (a name)
花果山	Huāguǒ Shān	Flower Fruit Mountain
火洞	Huǒ Dòng	Cave of Fire
金箍棒	Jīn Gū Bàng	Golden Hoop Rod
九霄空	Jiǔxiāo Kōng	the Ninth Heaven
六百里山	Liùbǎi Lǐshān	Six Hundred Mile Mountain
龙魔王	Lóng Mówáng	Dragon Demon King
木叉	Mùchā	Mucha (a disciple of Guanyin)
牛魔王	Niú Mówáng	Bull Demon King
普陀落伽山	Pǔtuóluòjiā Shān	Putuoluojia Mountain
齐天大圣	Qí Tiān Dà Shèng	Great Sage Equal to Heaven (a title for Sun Wukong)
三昧	Sānmèi	Samadhi, a state of intense concentration

沙吴静	Shā Wújìng	Sha Wujing (a name, "Sand Seeking Purity")
善财	Shàncái	Sudhana, a disciple of Guanyin
圣婴大王	Shèng Yīng Dàwáng	Great King Holy Child
狮魔	Shī Mówáng	Lion Demon King
孙悟空	Sūn Wùkōng	Sun Wukong (a name, "Ape Seeking the Void")
唐僧	Tángsēng	Tangseng (a name, "Tang Monk")
通风大圣	Tōngfēng Dà Shèng	Fair Wind Great Sage
悟空	Wùkōng	a familiar name for Sun Wukong
印度	Yìndù	India
鹰魔王	Yīng Mówáng	Eagle Demon King
玉皇大帝	Yùhuáng Dàdì	Jade Emperor
张大师	Zhāng dàshī	Master Zhang
猪八戒	Zhū Bājié	Zhu Bajie (a name, "Pig of Eight Prohibitions")

NEW WORDS

These are all the Chinese words introduced for the first time in this book, other than proper nouns. Each word is defined on a footnote on the page where it first appears.

Chinese	Pinyin	English
按摩	ànmó	massage
报答	bàodá	to repay
暴风雨	bàofēngyǔ	storm
背	bèi	back
背	bēi	to carry on back
布	bù	cloth
步	bù	step
补	bǔ	to mend, to make up
不值钱	bù zhíqián	worthless
不幸	bùxìng	unfortunately
唇	chún	lip
瓷	cí	porcelain
刺	cì	to stab
伺候	cìhòu	to wait on
簇	cù	(measure word for cluster)
袋 (子)	dài (zi)	bag
倒	dào	upside down
告	gào	to sue
钩	gōu	hook
鼓	gǔ	drum
洪流	hóngliú	torrent
花瓣	huābàn	petal
滑落	huáluò	slide

回声	huíshēng	echo
角落	jiǎoluò	corner
斤	jīn	cattie
吉祥	jíxiáng	auspicious
克 (服)	kè	to overcome
刻	kè	to carve
莲 (花)	lián (huā)	lotus
踉跄	liàngqiàng	staggering
联盟	liánméng	alliance
漫	màn	to overflow
矛	máo	spear
眉 (毛)	méi (mao)	eyebrow
迷	mí	confusion
秒	miǎo	second
民间	mínjiān	folk
目标	mùbiāo	aims
奶	nǎi	milk
盘	pán	to cross arms and/or legs
咆哮	páoxiāo	roar
欠	qiàn	owe
虔诚	qiánchéng	piety
仁慈	réncí	kindness
山谷	shāngǔ	valley
生意	shēngyì	business
损失	sǔnshī	loss
头脑	tóunǎo	mind
团	tuán	(measure word for lump, ball, mass)
退	tuì	retreat
围	wéi	encircle
五角星	wǔ jiǎo xīng	pentagram

乌龟	wūguī	tortoise
吓	xià	to scare
消息	xiāoxī	news
辛苦	xīnkǔ	to work hard
虚弱	xūruò	weak
邀请	yāoqǐng	to invite
英雄	yīngxióng	hero
友谊	yǒuyì	friendship
原因	yuányīn	reason
晕	yūn	to faint
招惹	zhāorě	to provoke
钟	zhōng	bell
重量	zhòngliàng	weight
竹	zhú	bamboo
煮	zhǔ	to cook
追	zhuī	to chase
足够	zúgòu	enough

GLOSSARY

These are all the Chinese words used in this book, other than proper nouns.

We use as our starting vocabulary the 1200 words of HSK4, plus all words introduced in previous books in this series, for a total working vocabulary of about 1500 words. However, this book only uses about 770 of those words. This includes some compound words that are made up of other words in the vocabulary.

Chinese	Pinyin	English
啊	a	ah, oh, what
岸	àn	shore
安静	ānjìng	be quiet
按摩	ànmó	massage
安全	ānquán	safety
吧	ba	bar
拔	bá	to pull
拔	bá	to pull
把	bǎ	(measure word for gripped objects)
把	bǎ	(preposition introducing the object of a verb)
把	bǎ	to hold, to get, to have it done
八	bā	eight
耙 (子)	bà (zi)	rake
爸爸	bàba	father
百	bǎi	hundred
白 (色)	bái (sè)	white
百万	bǎi wàn	million
办	bàn	to do

半	bàn	half
搬	bān	to move
办法	bànfǎ	method
棒	bàng	baton
绑	bǎng	to tie up
帮 (助)	bāng (zhù)	to help
帮忙	bāngmáng	to help
抱 (住)	bào (zhù)	to hold, to carry, to wrap up
宝贝	bǎobèi	treasure, baby
报答	bàodá	to repay
暴风雨	bàofēngyǔ	storm
保护	bǎohù	protection
把手	bǎshǒu	handle
倍	bèi	times
背	bèi	to carry on back
被	bèi	(passive particle)
北	běi	north
背	bēi	to carry
杯	bēi	cup
背后	bèihòu	behind
笨	bèn	stupid
臂	bì	arm
闭	bì	close
比	bǐ	compared to, than
变	biàn	to change
边	biān	side
变成	biàn chéng	become
别	bié	do not
必须	bìxū	must, have to
鼻子	bízi	nose

不	bù	no, not, do not
布	bù	cloth
步	bù	step
补	bǔ	to mend, to make up
不值钱	bù zhíqián	worthless
不久	bùjiǔ	soon
不了	bùliǎo	no more
不幸	bùxìng	unfortunately
菜	cài	dish
财产	cáichǎn	property
财富	cáifù	wealth
才能	cáinéng	ability, talent
参加	cānjiā	to participate
茶	chá	tea
差	chà	difference
长	cháng	long
场	chǎng	(measure word for a process)
常 (常)	cháng (cháng)	often
长生不老	chángshēng bùlǎo	immortality
车	chē	car, cart
成 (为)	chéng (wéi)	to become
惩罚	chéngfá	punishment
尺	chǐ	Chinese foot
吃	chī	to eat
吃惊	chīchījīng	to be surprised
吃素	chīsù	vegetarian
虫 (子)	chóng (zi)	insect
丑	chǒu	ugly
处	chù	place

出	chū	out
传	chuán	to pass
穿	chuān	to wear
吹	chuī	to blow
锤子	chuízi	hammer
除了	chúle	except
唇	chún	lip
春 (天)	chūn (tiān)	spring
出生	chūshēng	born
出现	chūxiàn	appear
瓷	cí	porcelain
刺	cì	thorn, to stab
次	cì	next in a sequence
次	cì	(measure word for time)
伺候	cìhòu	to wait on
从	cóng	from
聪明	cōngming	clever
从头	cóngtóu	from scratch
簇	cù	(measure word for cluster)
寸	cùn	Chinese inch
村 (庄)	cūn (zhuāng)	village
大	dà	big
打	dǎ	to hit, to play
大会	dàhuì	assembly, meeting, gathering
带	dài	band
带	dài	to bring
戴	dài	to wear
袋 (子)	dài (zi)	bag
大家	dàjiā	everyone
打开	dǎkāi	to open up

打猎	dǎliè	hunt
但 (是)	dàn (shì)	but, however
当	dāng	when
当然	dāngrán	of course
担心	dānxīn	to worry
倒	dào	upside down
到	dào	to arrive, towards
道	dào	way, path, Dao
倒	dǎo	to fall
刀	dāo	knife
道教	dàojiào	Daoism
大师	dàshī	grandmaster
打算	dǎsuàn	intend
地	de	(adverbial particle)
的	de	of
得 (到)	dé (dào)	to get
的话	dehuà	if
等	děng	to wait
第	dì	(prefix before a number)
底	dǐ	bottom
点头	diǎn tóu	nod
吊	diào	to hang
掉	diào	to fall, to drop
弟弟	dìdi	younger brother
地方	dìfāng	local, place
帝国	dìguó	empire
顶	dǐng	top
地球	dìqiú	earth
动	dòng	to move
洞	dòng	cave, hole

东	dōng	east
冬(天)	dōng (tiān)	winter
动物	dòngwù	animal
东西	dōngxi	thing
都	dōu	all
段	duàn	(measure word for sections)
短	duǎn	short
对	duì	correct, towards someone
对不起	duìbùqǐ	I am sorry
朵	duǒ	(measure word for flowers and clouds)
躲	duǒ	to hide
多	duō	many
多少	duōshǎo	how many
饿	è	hungry
二	èr	two
耳(朵)	ěr (duo)	ear
而且	érqiě	and
而是	érshì	but
儿子	érzi	son
发	fǎ	hair
发(出)	fā (chū)	to send out
法官	fǎguān	judge
饭	fàn	cooked rice
放	fàng	to put, to let out
方法	fāngfǎ	method
放火	fànghuǒ	set fire
房间	fángjiān	room
放松	fàngsōng	relax
方向	fāngxiàng	direction

房子	fángzi	house
发生	fāshēng	occur
发送	fāsòng	send
发现	fāxiàn	to find
飞	fēi	fly
非常	fēicháng	very much
分 (钟)	fēn (zhōng)	minute
疯	fēng	mad
风	fēng	wind
佛	fó	Buddha
佛教	fó jiào	Buddhism
佛法	fófǎ	Buddha's teachings
佛祖	fózǔ	Buddhist teacher
父	fù	father
附近	fùjìn	nearby
盖	gài	cover
该	gāi	should
干	gàn	dry
敢	gǎn	to dare
赶	gǎn	to chase away
感 (到)	gǎn (dào)	to feel
刚 (才)	gāng (cái)	just, just a moment ago
感觉	gǎnjué	to feel
感谢	gǎnxiè	to thank
告	gào	to sue
告诉	gàosù	to tell
高兴	gāoxìng	happy
个	gè	(measure word, generic)
哥哥	gēge	older brother
给	gěi	to give

根	gēn	(measure word for slender objects)
跟	gēn	with, to follow
更	gèng	more
更	gēng	watch (2-hour period)
个子	gèzi	height (human), build (human)
公鸡	gōngjī	rooster
狗	gǒu	dog
钩	gōu	hook
股	gǔ	(measure word for air, flows, ...)
鼓	gǔ	drum
箍	gū	ring or hoop
光	guāng	light
关心	guānxīn	concern
跪	guì	kneeling
贵重	guìzhòng	precious
过	guò	to pass
过节	guòjié	to celebrate a holiday
过来	guòlái	to come
国王	guówáng	king
古人	gǔrén	the ancients
故事	gùshì	story
还	hái	still, also
海	hǎi	ocean
孩 (子)	hái (zi)	child
害怕	hàipà	afraid
喊 (叫)	hǎn (jiào)	to shout
好	hǎo	good, very
和	hé	with
喝	hē	drink
河 (流)	hé (liú)	river

黑	hēi	black
很	hěn	very
和平	hépíng	peace
和尚	héshàng	monk
红 (色)	hóng (sè)	red
洪流	hóngliú	torrent
后	hòu	after, back, behind
猴 (子)	hóu (zi)	monkey
护	hù	to take care of
话	huà	word, speak
花	huā	flower
花瓣	huābàn	petal
坏	huài	bad
滑落	huáluò	slide
谎 (话)	huǎng (huà)	lie
花瓶	huāpíng	vase
回	huí	to return
会	huì	will, to be able to
回报	huíbào	return
回答	huídá	to reply
毁坏	huǐhuài	to smash, to destroy
挥	huīle	to swat, to wave
回声	huíshēng	echo
活	huó	to live
或	huò	or
火	huǒ	fire
火盆	huǒpén	brazier
猢狲	húsūn	ape
呼吸	hūxī	breathe
几	jǐ	several

记 (住)	jì (zhù)	to remember
极	jí dà	extremely
加	jiā	plus
家	jiā	home
件	jiàn	(measure word for clothing, matters)
剑	jiàn	sword
箭	jiàn	arrow
见	jiàn	to see, to meet
尖	jiān	pointed, tip
简单	jiǎndān	simple
讲	jiǎng	to speak
叫	jiào	to call, to yell
脚	jiǎo	foot
教	jiāo	to teach
角落	jiǎoluò	corner
家人	jiārén	family
借	jiè	to borrow
解决	jiějué	to solve, settle, resolve
节日	jiérì	festival
几乎	jīhū	almost
进	jìn	enter
紧	jǐn	tight, close
斤	jīn	cattie
金 (色)	jīn (sè)	golden
筋斗云	jīndǒu yún	cloud somersault
静	jìng	quietly
经过	jīngguò	after, through
精神	jīngshén	spirit
就	jiù	just, right now

救	jiù	to save, to rescue
旧	jiù	old
救	jiù	to rescue
酒	jiǔ	wine, liquor
舅舅	jiùjiu	uncle
吉祥	jíxiáng	auspicious
继续	jìxù	to continue
举	jǔ	to lift
觉得	juédé	to feel
决定	juédìng	to decide
鞠躬	jūgōng	to bow down
开	kāi	to open
开始	kāishǐ	to start
开心	kāixīn	happy
看	kàn	to look
砍	kǎn	to cut
看不出	kàn bù chū	unrecognizable
看穿	kànchuān	see through
克 (服)	kè	to overcome
刻	kè	to carve
课	kè	lesson
棵	kē	(measure word for trees, vegetables, some fruits)
可怜	kělián	pathetic
可能	kěnéng	maybe
可怕	kěpà	frightening
可恶	kěwù	hateful
可以	kěyǐ	can
空	kōng	air, void, emptiness
叩头	kòutóu	kowtow

哭	kū	to cry
块	kuài	(measure word for chunks, pieces)
快	kuài	fast
快乐	kuàilè	happy
捆	kŭn	to tie up
困难	kùnnán	difficult
拉	lā	to pull
来	lái	to come
狼	láng	wolf
老	lǎo	old
老师	lǎoshī	teacher
了	le	(indicates completion)
累	lèi	tired
雷 (霆)	léi (tíng)	thunder
冷	lěng	cold
离	lí	from, away
里 (面)	lǐ (miàn)	inside
俩	liă	both
连	lián	to connect
脸	liăn	face
莲 (花)	lián (huā)	lotus
辆	liàng	(measure word for vehicles)
两	liăng	two
踉跄	liàngqiàng	staggering
联盟	liánméng	alliance
厉害	lìhài	amazing, powerful
离开	líkāi	to go away
林	lín	forest
另	lìng	another
灵魂	línghún	soul

另外	lìngwài	in addition
流	liú	flow
六	liù	six
柳	liǔ	willow
留 (下)	liú (xià)	to keep, to leave behind, to stay
礼物	lǐwù	gift
龙	lóng	dragon
路	lù	road
鹿	lù	deer
绿 (色)	lǜ (sè)	green
旅途	lǚ tú	journey
路过	lùguò	passing by
吗	ma	(indicates a question)
马	mǎ	horse
麻烦	máfan	trouble
妈妈	māma	mom
慢	màn	slow
漫	màn	to overflow
满意	mǎnyì	satisfy
毛	máo	hair
矛	máo	spear
马上	mǎshàng	right away
没	méi	not
每	měi	each
美 (丽)	měi (lì)	handsome, beautiful
眉 (毛)	méi (mao)	eyebrow
们	men	(indicates plural)
门	mén	door, gate
迷	mí	confusion
面	miàn	side

秒	miǎo	second
灭	miè	to put out (a fire)
米饭	mǐfàn	cooked rice
名 (字)	míng (zì)	name
明亮	míngliàng	bright
明天	míngtiān	tomorrow
民间	mínjiān	folk
魔 (法)	mó (fǎ)	magic
魔鬼	móguǐ	devil
魔力	mólì	magic power
魔王	mówáng	devil
母	mǔ	mother
木 (头)	mù (tou)	wood
目标	mùbiāo	aims
拿	ná	to take
那	nà	that
哪 (儿)	nǎ ('er)	where?
奶	nǎi	milk
那里	nàlǐ	there
哪里	nǎlǐ	where
那么	nàme	so then
南	nán	south
呢	ne	(indicates question)
能	néng	can
你	nǐ	you
年	nián	year
念	niàn	to read
年龄	niánlíng	age
尿	niào	pee, urine
鸟	niǎo	bird

您	nín	you (respectful)
牛	niú	cow
女	nǚ	female
哦	ó	oh?, oh!
爬	pá	to climb
怕	pà	afraid
盘	pán	to cross arms and/or legs
盘 (子)	pán (zi)	plate
旁 (边)	páng (biān)	beside
跑	pǎo	to run
咆哮	páoxiāo	roar
朋友	péngyǒu	friend
皮	pí	leather, skin
片	piàn	(measure word for flat objects)
骗	piàn	to cheat
漂	piào	to float
漂亮	piàoliang	pretty
瀑布	pùbù	waterfall
仆人	púrén	servant
菩萨	púsà	bodhisattva, Buddha
普通	pǔtōng	ordinary
起	qǐ	from, up
七	qī	seven
前	qián	before, front
钱	qián	money
欠	qiàn	owe
千	qiān	thousand
虔诚	qiánchéng	piety
强大	qiángdà	powerful
前面	qiánmiàn	front

前往	qiánwǎng	go to
祈祷	qídǎo	prayer
奇怪	qíguài	strange
起来	qǐlái	(after verb, indicates start of an action)
请	qǐng	please
轻	qīng	light
清楚	qīngchǔ	clear
亲戚	qīnqī	relative
其实	qíshí	in fact
其他	qítā	other
球	qiú	ball
求	qiú	begging
其中	qízhōng	among them
去	qù	to go
取	qǔ	to take
群	qún	(measure word for a group of people or animals)
让	ràng	to let, to cause
然后	ránhòu	then
热	rè	hot
人	rén	person, people
仁慈	réncí	kindness
扔	rēng	to throw
任何	rènhé	any
认识	rènshí	to understand
认为	rènwéi	to believe
日 (子)	rì (zi)	day
日夜	rìyè	day and night
容易	róngyì	easy
肉	ròu	meat

入	rù	to enter
如果	rúguǒ	if, in case
三	sān	three
僧	sēng	monk
森林	sēnlín	forest
杀	shā	to kill
扇	shàn	(measure word for things on hinges)
山	shān	mountain
闪电	shǎndiàn	lightning
上	shàng	on, up
伤 (害)	shāng (hài)	to hurt
上天	shàng tiān	heaven
上座	shàng zuò	honorable seat
山谷	shāngǔ	valley
烧 (伤)	shāo (shāng)	to burn
谁	shéi	who
神	shén	spirit, god
深	shēn	deep
身 (体)	shēn (tǐ)	body
深红色	shēn hóngsè	crimson
圣	shèng	saint
声 (音)	shēng (yīn)	sound
绳 (子)	shéng (zi)	rope
生活	shēnghuó	life, to live
生命	shēngmìng	life
生气	shēngqì	angry
生物	shēngwù	animal, creature
生意	shēngyì	business
什么	shénme	what?

十	shí	ten
是	shì	is, yes
试	shì	to taste, to try
诗	shī	poetry
时 (候)	shí (hòu)	time
事 (情)	shì (qíng)	thing
石 (头)	shí (tou)	stone
狮 (子)	shī (zi)	lion
士兵	shìbīng	soldier
师父	shīfu	master
时间	shíjiān	time
世界	shìjiè	world
尸体	shītǐ	dead body
食物	shíwù	food
手	shǒu	hand
首	shǒu	(measure word for music, poems)
受到	shòudào	to suffer
手指	shǒuzhǐ	finger
束	shù	(measure word for a bundle)
树	shù	tree
书	shū	book
输	shū	to lose
舒服	shūfú	comfortable
睡	shuì	sleep
水	shuǐ	water
树林	shùlín	forest
树木	shùmù	trees
说 (话)	shuō (huà)	to speak
说教	shuōjiào	preaching
四	sì	four

死	sǐ	dead
寺庙	sìmiào	temple
四周	sìzhōu	all around
松	sōng	pine
送 (给)	sòng (gěi)	to give a gift
送出	sòngchū	send out
岁	suì	years old
虽然	suīrán	although
损失	sǔnshī	loss
锁	suǒ	lock
所以	suǒyǐ	and so
所有	suǒyǒu	all
他	tā	he
她	tā	she
它	tā	it
抬	tái	to lift
太	tài	too much
抬头	táitóu	to look up
谈	tán	to talk
套	tào	set
套	tào	to encase
逃 (走)	táo (zǒu)	to escape
逃跑	táo pǎo	run away
剃	tì	to shave
天	tiān	day, sky
天空	tiānkōng	sky
天堂	tiāntáng	heaven
条	tiáo	(measure word for narrow, flexible things)
跳	tiào	to jump

剃刀	tìdāo	razor
听	tīng	to listen
停 (止)	tíng (zhǐ)	stop
听说	tīng shuō	it is said that
同	tóng	same
痛	tòng	pain
痛 (苦)	tòng (kǔ)	suffering
同意	tóngyì	to agree
头	tóu	head
偷	tōu	to steal
头发	tóufǎ	hair
头脑	tóunǎo	mind
土	tǔ	dirt, earth
吐	tǔ	to spit
团	tuán	(measure word for lump, ball, mass)
徒弟	túdì	apprentice
土地	tǔdì	land
退	tuì	retreat
腿	tuǐ	leg
推	tuī	to push
脱	tuō	to remove (clothing, hat, etc.)
突然	túrán	suddenly
外	wài	outside
玩	wán	play
万	wàn	ten thousand
晚	wǎn	late
完成	wánchéng	to finish
晚饭	wǎnfàn	dinner
王	wáng	king

忘 (记)	wàng (jì)	to forget
王国	wángguó	kingdom
完	wánliǎo	finish, over
晚上	wǎnshàng	at night
围	wéi	encircle
位	wèi	(measure word for people (polite))
伟大	wěidà	great
未来	wèilái	future
为了	wèile	in order to
为什么	wèishénme	why
危险	wéixiǎn	danger
问	wèn	to ask
闻 (到)	wén (dào)	smell
文书	wénshū	written document
问题	wèntí	question, problem
我	wǒ	I, me
雾	wù	fog
五	wǔ	five
悟 (性)	wù (xìng)	enlightment, understanding
五角星	wǔ jiǎo xīng	pentagram
乌龟	wūguī	tortoise
武器	wǔqì	arms
洗	xǐ	to wash
吸	xī	to suck, to absorb
西	xī	west
溪	xī	creek
下	xià	down, under
吓	xià	scare
先	xiān	first
像	xiàng	like, to resemble

向	xiàng	towards
想	xiǎng	to want, to miss, to think of
香	xiāng	fragrant, incense
想法	xiǎngfǎ	thought
相信	xiāngxìn	to believe, to trust
现在	xiànzài	just now
笑	xiào	to laugh
小	xiǎo	small
小时	xiǎoshí	hour
消息	xiāoxī	news
小心	xiǎoxīn	to be careful
夏天	xiàtiān	summer
谢	xiè	to thank
写	xiě	to write
些	xiē	some
喜欢	xǐhuān	to like
信	xìn	letter
心	xīn	heart/mind
新	xīn	new
星	xīng	star
行 (走)	xíng (zǒu)	walk
行李	xínglǐ	baggage
星期	xīngqí	week
辛苦	xīnkǔ	to work hard
兄弟	xiōngdì	brothers
袖 (子)	xiù (zi)	sleeve
休息	xiūxí	to rest
希望	xīwàng	to hope
悬崖	xuányá	cliff
雪	xuě	snow

血	xuè, xuě	blood
学会	xuéhuì	to learn
学习	xuéxí	to learn
虚弱	xūruò	weak
需要	xūyào	to need
牙	yá	tooth
沿	yán	along
烟	yān	smoke
眼 (睛)	yǎn (jīng)	eye
样子	yàngzi	look like
宴会	yànhuì	banquet
要	yào	to want
妖怪	yāoguài	monster
邀请	yāoqǐng	invite
要求	yāoqiú	to request
夜	yè	night
也	yě	also, too
叶 (子)	yè (zi)	leaf
爷爷	yéye	paternal grandfather
一	yī	one
已 (经)	yǐ (jīng)	already
以前	yǐ qián	before
一直	yì zhí	always, continuously
一般	yìbān	commonly
一定	yídìng	for sure
衣服	yīfu	clothes
一共	yígòng	altogether
一路	yílù	throughout a journey
赢	yíng	to win
鹰	yīng	eagle, hawk

应该	yīnggāi	should
英雄	yīngxióng	hero
因为	yīnwèi	because
一起	yìqǐ	together
一切	yíqiè	all
意思	yìsi	meaning
以为	yǐwéi	think, believe
一下	yíxià	a bit, a short quick action
一些	yìxiē	some
一样	yíyàng	same
一阵	yízhèn	for a while
椅子	yǐzi	chair
用	yòng	to use
用力	yònglì	to use effort or strength
油	yóu	oil
又	yòu	also
有	yǒu	to have
游走	yóu zǒu	to walk around
有点	yǒudiǎn	a little bit
有名	yǒumíng	famous
有些	yǒuxiē	some
友谊	yǒuyì	friendship
有意思	yǒuyìsi	interesting
玉	yù	jade
语	yǔ	language
雨	yǔ	rain
遇 (见)	yù (jiàn)	meet
远	yuǎn	far
愿 (意)	yuàn (yì)	willing
远离	yuǎnlí	keep away

原谅	yuánliàng	to forgive
原因	yuányīn	the reason
月 (亮)	yuè (liang)	moon
云	yún	cloud
晕	yūn	to faint
欲望	yùwàng	desire
再	zài	again
在	zài	in, at
脏	zāng	dirty
造	zào	to make
造成	zàochéng	cause
早上	zǎoshang	morning
怎么	zěnme	how
眨	zhǎ	to blink
站	zhàn	to stand
战斗	zhàndòu	to fight
杖	zhàng	rod
长	zhǎng	to grow
张	zhāng	(measure word for pages, flat objects)
张	zhāng	open
战士	zhànshì	warrior
找	zhǎo	to search for
照顾	zhàogù	to take care of
着火	zháohuǒ	on fire
招惹	zhāorě	provoke
着	zhe	(indicates action in progress)
这	zhè	this
这里	zhèlǐ	here
这么	zhème	so

真 (的)	zhēn (de)	really!
蒸	zhēng	steam
正 (在)	zhèng (zhài)	being
阵雨	zhènyǔ	shower
这样	zhèyàng	such
只	zhǐ	(measure word for animals)
只	zhǐ	only
指	zhǐ	to point at
纸	zhǐ	paper
枝	zhī	branch
直到	zhídào	until
知道	zhīdào	to know something
只得	zhǐdé	had to
之前	zhīqián	prior to
只是	zhǐshì	just
重	zhòng	heavy
中	zhōng	in
钟	zhōng	bell
重量	zhòngliàng	weight
重要	zhòngyào	important
终于	zhōngyú	at last
竹	zhú	bamboo
住	zhù	to live, to hold
煮	zhǔ	cook
猪	zhū	pig
抓 (住)	zhuā (zhù)	to arrest, to grab
转	zhuǎn	turn
追	zhuī	to chase
准备	zhǔnbèi	ready, prepare
主人	zhǔrén	master

主意	zhǔyì	idea
字	zì	written character
自己	zìjǐ	oneself
总是	zǒng shì	always
走	zǒu	to go, to walk
足够	zúgòu	enough
最	zuì	the most, the best
嘴	zuǐ	mouth
最后	zuìhòu	at last
最少	zuìshǎo	least
尊 (敬)	zūn (jìng)	respect
做	zuò	to do
座	zuò	(measure word for mountains, temples, big houses, ...)
昨天	zuótiān	yesterday
左右	zuǒyòu	approximately
阻止	zǔzhǐ	to stop

ABOUT THE AUTHORS

Jeff Pepper (author) is President and CEO of Imagin8 Press, and has written dozens of books about Chinese language and culture. Over his thirty-five year career he has founded and led several successful computer software firms, including one that became a publicly traded company. He's authored two software related books and was awarded three U.S. patents.

Dr. Xiao Hui Wang (translator), has an M.S. in Information Science, an M.D. in Medicine, a Ph.D. in Neurobiology and Neuroscience, and 25 years experience in academic and clinical research. She has taught Chinese for over 10 years and has extensive experience in translating Chinese to English and English to Chinese.

Printed in Great Britain
by Amazon

65771330R00104